중단기 거주자를 위한

제주공부노트

차 례

© 정둘, <바당에 쑥부쟁이 잘도 곱닥하게 피엇쩌이>, 2021년 전시

© 정둘, <바람의 집>, 2021년 전시

들어가는 말

바쁘려고 제주에 온 게 아니다

제주 한 독립서점에서 진행한 저자강연에 참석했을 때의 일이다. 저자가 서두에 참석해주어서 고맙다며 "다들 바쁘시죠?"라고 물었는데 나도 모르게 "아니요"라고 반사적으로 대답했다. 모두가 기운없이 "예"를 뇌이는 중에 불쑥 나온 소리라 초반 분위기 전환하는 역할을 하며 다같이 웃음으로 넘어가긴 했는데, 나는 속으로 '안 바쁘려고 제주에 온 건데요'라며 진지해졌다.

인사말로 '요즘 바쁘시죠'를 많이 이야기하는 시대다. 사람이 생산수단으로 취급받으며, 업무효율이 중요해진 산업혁명 이후부터 그래 온 걸까. 그나마 우리나라는 농경사회에서 넘어온 지 그리 오래되지 않았는데도 왜 이렇게 다들 도시형 일개미인지 궁금하다. 언제까지 그렇게 살아야 하는지 기약도 없어 보인다. '바쁘시죠?'라는 물음은 현대인이라면 응당 그러하리라 생각해서 나오는 말이다. 인사말치고는 부적절하다. 왜 바쁜 게 당연할까?

야근은 필수에, 주말도 없이 살아야 직장생활 잘하는 것처럼 세뇌당한 것은 아닌지? '놀 때도 치열하게' 라는 건 더 불편하다. 적어도 노는 건 내 마음 가는대로!

　　그런데, 나도 얼마 전까지는 그렇게 살았다. 안부를 나눌 때 요즘 어떻게 지내느냐고 하면 늘어서있는 할 일에 대한 정보교환이 인사를 대신했고, 나를 찾는 일과 사람들이 많은 것이 귀찮으면서도 만족스러웠다. 매일 정리하는 수첩에서 '오늘의 할 일' 목록이 적으면 어색할 지경이었다. 동료나 후배에게도 '바쁘지? '라며 안쓰럽게 바라보면서 다들 이렇게 사는 거라고 생각했다. 방금 큰 프로젝트 하나를 마무리해도 쉴 틈 없이 바로 다음 회의를 진행하고, 누가 많이 바쁘냐고 물으면 '그렇죠 뭐'라며 희미한 업무용 미소로 대답하는 일이 잦았던 시절. 나의 존재가치가 쏟아지는 일에서 보여진다고 생각했던 건 아닌지……. 이제 나는 끊임없는 일의 쳇바퀴에서 벗어나 제주로 왔는데, 신기한 건 제주분들이 또 그렇게 열심히 사신다는 점이다. 일에 지친 사람들이 찾는 낙원같은 이미지의 제주도인데, 정작 현지인들은 주어진 환경을 이겨내기 위해 열심히 살아오신 탓에 한가한 생활을 이해하지 못하는 부지런쟁이라는 게 모순이기도 한 곳. 물론 시골 어디든 농사짓는 분들은 아침 일찍부터 움직이는 게 일상이지만, 제주는 시골과 도시 구분이 따로 없다는 게 차이점이라 하겠다.

계급없던 제주에서 유한계급으로 살아보고 싶어졌다

여가와 문화는 한쌍이다. 여유가 있어야 뭔가 재미있는 일을 할 생각이 나고, 창조적으로 놀거리를 만들어내게 된다. 서양문화의 원류로 생각하는 그리스 도시국가시절에도 노예와 다수 하위계층 덕에 딱히 일할 필요가 없었던 상위계층들이 모여 철학을 논했고 올림픽을 만들어냈다. 한반도에서도 양반계급이 있었으니 우아하게 사군자를 치면서 시 읊는 이들이 존재할 수 있었지 않나. 당장 생계걱정이 없어야 현실에서 벗어나 딴 짓을 할 수 있는 법이다.

그런 점에서 제주도 유한계급을 가져야 한다고 생각한다. 여태까지 제주는 피지배층, 수탈당해온 대상이라는 이미지를 스스로도 진하게 품고 있다. 성주가 있었던 탐라시대가 있었지만, 고려로 복속된 이후로는 한반도의 변방으로 중앙에서 받는 것 하나 없이 빼앗기기만 해온 시절이 길었기 때문이다. 이어진 조선시대에도 이백 여년 간 섬 바깥도 못 나가게 했던 출륙금지령이 있었고, 또 말로 다 하기 어려운 처절한 일제강점기를 지나고 광복이 되어도 4.3사건이 터져 빨갱이로 불려질 공포를 안고 살아야 했었다. 근현대까지도 육지인들에게는 낯선 사투리를 쓰는 섬사람에 대한 차별이 여전히 존재했었던 걸 생각해보면 제주사람들이 외부인에 대한 좋은 감정을 가지기가 어려웠던 사정을 충분히 알 수 있다 (이 섬 역사에 대해 공부한 내용은 본문에 간략히 기술되어 있다).

안타깝게도 제주민은 지배를 당하는 입장으로 오래 지내왔으며, 내부적으로도 내노라 할 상위계급이 많지 않았다. 제주목사나 관리는 중앙에서 보낸 외지인이었고, 유명한 학자들은 대개

유배 온 인물이었다. 과거시험이라도 보아 벼슬길이라도 나가면 좋으련만 기회 자체가 많지 않았다. 시험을 치려면 배타고 전라도 까지 넘어가야 했고, 사정을 고려하여 몇 번은 제주목에서 과거를 보았다는 기록도 있긴 하지만 과거에 급제하여 크게 벼슬을 한 인물은 고려, 조선시대를 통틀어도 손꼽을 정도이다. 사실상 조선의 변방이었던 제주도가 과거 공부하기에 적합한 환경은 아니지 않은가. 인터넷으로 전세계가 정보를 공유하는 요즘 세상에도 학원가려고 강남 대치동으로 몰려가는 판이다. 가뜩이나 책 자체가 귀했던 시절에 한양과 동떨어져있는 제주에서 최근 과거시험의 수준이나 기출문제경향을 파악하기란 아주 어려웠으리라 짐작이 된다 (그래서 서울 집값은 예나 지금이나 떨어지지 않는 것인가!).

여차저차 제주민 사이에서는 다들 평등하게 힘들었던 것으로 보인다. 외부에서 온 중앙관리와 잠깐 머물었던 조선시대 유배인들 그리고 소수의 향리층을 빼면, 제주는 그만그만한 살림살이로 바다와 땅이 주는 만큼만 살아왔던 듯 하다. 화산지형이라 파면 나오는 건 돌 뿐인데다 물 고일 틈 없는 화산회토는 비옥함과는 거리가 멀었으며, 사방으로 둘러친 바다는 오히려 두려움으로 다가오기가 일쑤였던 제주. 다른 지역보다 상대적으로 노동요의 비율이 높은 이유가 있다. 그러니 제주가 향응해 온 여흥 문화가 없다고 탐라에서부터 이어지는 이 섬의 조상들을 탓할 일은 아니라고 본다. 이 곳에서 태어나지는 않았으나 벌써 삼년 넘게 제주공부하며 돌아다니다 보니 나도 어느새 검은 돌담과 초록밭을 보면서도 일 생각에 지긋지긋해하는 현지인과 아름다운 색상대비에 환호하는 관광객 양쪽 모두를 이해하는 중간위치 정도가 되어 버렸다. 아무튼 이제 나는 누가 시키지도 않은 '제주의 유한계급'으로서 기꺼이 이 섬의 문화를 널리 만끽할 준비를 스스로 마쳤다.

어디에도 속하지 않은 사람의 제주 공부

이 책은 지극히 내 개인적인 시선의 결과물이다. 타 문화권 지역학을 공부했던 이전 배경이 제주에서도 발현되었는지 쉬려고 왔는데 알고보니 공부를 하고 있더라. 성과를 내야 하는 공부가 아니기 때문에 오히려 사심없이, 또 재미있게 할 수 있지 않았나 싶기도 하다. 보는 방향이 다르니 당연한 것도, 또 당연하지 않은 것도 없는 점이 특히 매력이었다. 목적없는 공부, 그저 궁금해서 하는 공부기록이 어느새 문고판 크기 수첩 여섯 권에 남았고 이제 일곱 번째를 채우고 있다. 서툰 이주민 시절인 2020년 초반부터의 기록을 들추다보니 열정가득한 빽빽한 글씨가 새롭기도 하고, 아주 기초부터 써 내려간 왕초보시절이 조금 귀엽기도 하다. 이 책은 그 수첩들과 함께 했던 시간의 종합이다.

책의 전반부는 공부한 내용을 지리, 역사, 문화 등 분야별로 나누어 알기 쉽게 정리하였고, 후반부는 다양한 강습기관 목록과 실제 수업경험을 기록하였다. 부록으로는 제주어에 대한 소개와 함께 더 깊은 공부를 위한 문헌과 매체를 추천하였다. 초보 이주민이 동분서주 제주를 다니며 공부했던 흔적이 비슷한 시기를 지날 누군가에게 작으나마 도움이 되기를 바란다. 나의 목소리로 내가 애정하는 곳에 대한 기록을 남겨보는 기회에 감사하며, 이 글을 보는 이들이 또다른 '제주 유한계급'이 되어 무해하고도 무한하게 늘어나기를 기대한다.

© 정둘, <붉고 푸른 제주가을>, 2021년 전시

제주도는 어떤 곳?

- 섬 제주에 대해 알아보자

제주도 인구 (2022년 8월)

제주시 총 인구수
507,945명

내국인
494,059명

외국인
13,886명

세대수
222,610세대

세대수
88,662세대

내국인
184,957명

외국인
7,181명

서귀포시 총 인구수
192,138명

* 제주통계포털(https://www.jeju.go.kr/stats) 참조

인구와 지리

여기는 도시인가, 시골인가

내 결론을 먼저 말하자면, 제주는 '인프라(infrastucture, 복지, 생활환경분야 포함한 사회기반시설)가 있는 시골'이라고 생각한다. 요즘은 워낙 서울과 인근 중심부만 비대하게 발전한지라 수도권 이외에는 모두 시골이라는 자조적인 말도 있지만, 제주는 '도시에서 떨어져 있어, 비교적 한적하고 사람들이 주로 농사를 짓고 살며 자연의 모습을 쉽게 접할 수 있는 곳'이라는 사전적 정의를 끌어다 봐도 확실히 시골이다.

시내를 통과하는 관광객의 입장에서는 의문을 가질 수도 있다. 제주시내는 제주에서 유일하게 교통체증이 있는 곳이라 공항에서 차를 렌트하고 빠져나오는 길이 곡예처럼 느껴지기도 하니까. 그런데 그게 전부다. 구제주와 신제주로 불리는 제주시내 지역만 높은 빌딩들과 함께 인구밀도가 높을 뿐이고 나머지는 읍과 리 단위마을이 펼쳐져있다. 시내라면 남쪽에 서귀포시도 있지만, 한라산 아래지역을 다 합쳐도 전체인구의 30%도 안되니 인구밀도는 산북(한라산 기준 윗지역)에 댈 게 아니다.

놀라운 것은 이미 제주도 인구는 칠십 만명을 넘었다는 점이다('22.8월 기준, 제주통계포털 참조). 최초의 제주 도시 설계시 오십 만명을 기준으로 했다고 들었는데 이미 1.4배가 늘었으니 도로나 쓰레기처리장, 전수장 등 기반시설이 부족해지는 건 당연한 수순임

수 있다. 거기다 방문객 수가 연 평균 천 만명 정도라고 하니 현재 제주도 땅에 발을 붙이고 있는 사람들을 과연 제주가 수용할 수 있을지는 의문이다. 제주도출신 압축쓰레기가 필리핀까지 배로 갔다가 통관이 거부되어 도로 돌아온 2019년 뉴스를 기억하는 이도 있을 것이다. 섬 전체 쓰레기를 묻고 소각해오던 봉개동 매립장이 포화되면서 일어난 일이다(수명을 다한 봉개매립장은 폐쇄되었으며, 이제는 동복리 제주환경자원순환센터가 그 기능을 담당한다). 이미 교통지옥, 주거지옥, 쓰레기지옥이라고 해서 제주를 자조적으로 '삼옥'이라고 부르는 도민도 보았다. 여기에 소, 돼지, 말, 닭 등을 기르는 축사에서 발생하는 불법 분뇨처리문제까지 단골로 뉴스에 등장하는 걸 보고 있으면 제주가 마냥 평온해 보이진 않는다. 제주의 숨골이며 지하수 저장고인 곶자왈도 삼십여 개의 골프장, 영어교육도시, 첨단과학도시 등 개발의 이름에 밀려 점차 없어지고 있다.

게다가 제주는 육지와는 달리 철도 교통수단이 없으므로 자동차를 이용하는 인구비율은 전국 최고인 인당 0.53대(제주도청 교통 홈페이지 참조)라고 한다. 아이와 노인을 제외하면 성인 한 명당 차량 한 대씩 보유한 수준이다. 거기다 렌터카와 단체버스까지 질주하니 도로는 분주할 수 밖에 없다. 평화로운 얼굴을 한 시골인데, 어느새 그 안의 밀도는 섬이 버티기 힘들 정도로 증가한 셈이다. 제주도의 전반적인 수용력을 재판단하는 연구(제주관광 수용력 연구, 제주대학교, 2017년 참조)들이 진행되고, 대중교통 활성화를 위한 정책도 적극 추진되고 있으나 개선은 쉽지 않다.

알려진 대로 제주는 우리나라에서 가장 큰 섬으로, 크기는 서울 면적(605.2km²)의 세배(1,846km²)가 넘는다. 짧은 일정으로 와서 한 바퀴 돌고 가는 지인들에게 알려주면 의외로 크다고 놀라워

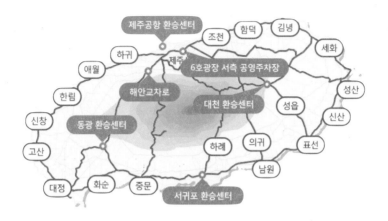

* 제주도청 교통 홈페이지 참조

한다. 알려진 관광지만 선으로 찍고 가면 실감이 안날 수 있지만,
제주를 둥글게 한 바퀴 도는 일주도로(181km)도 서울-대전보다 긴
데다 해안선(258km)을 따라간다면 서울-대구 정도의 거리가 되니
일상적인 이동범위는 아니다. 내가 사는 동북방향 세화에서 대각
선인 서남방향인 송악산에 간다면 편도만 팔십킬로가 넘으니 섬
내 이동도 사실 상당히 먼 편이다. 교통정체구간이 적어 실질 운전
시간이 육지보다는 짧은 편이고, 끝내주는 차창 풍경 덕에 힘든 줄
모를 뿐이다. 이래서 이주민들이 입도 초반에는 먼 줄 모르고 다녔
으나 몇 년 지나면 삼십분 거리도 큰 맘 먹어야 나선다는 말이 공통
적으로 나오는 듯 하다. 나도 이주 초반에 다닐 때는 하루에도 백오
십에서 이백 킬로 주행은 일상이어서 어디 영업이라도 뛰냐는 농
담을 들을 정도였지만, 이제는 동선을 최대한 정리하고 기왕 갈 일
이 있으면 가능한 일정을 모아 한 번에 해결할 수 있는 방법부터 고
민하는 찐 도민이 되어가고 있다.

도로명도 지역색을 반영한 이름이 많다. 애월읍과 조천읍을 연결한다하여 '애조로', 남원읍과 조천읍을 잇는다고 '남조로' 등 마을명을 따온 이름부터 송당신의 이름에서 연유된 '금백조로' 같은 개성가득한 도로는 가을 억새철이면 더욱 빛을 발한다. 남북을 잇는 중심도로 명칭이 아직도 516인 점은 아쉽다. 군사정권시절의 잔재일 뿐 아니라 제주와 딱히 접점도 없는데 왜 아직 고수하고 있는지 모르겠다. 크고 작은 길의 이름에 딸린 역사와 마을 이야기는 제주도청에서 제주대에 연구 의뢰해 발간한 <곱들락한 제주 길이야기>(2014년)에 잘 나와있다.

**제주시와
서귀포시를 잇는 길**

우리나라에서 가장 큰 섬인 제주도, 제주도는 한라산을 중심으로 동서남북에 여러 길들이 나 있다. 바다와 함께하는 해안도로, 제주의 마을들을 지나는 일주도로, 한라산 자락을 지나는 길 등 다양한 길들이 제주 곳곳의 매력을 보여주고 있다. 북쪽의 제주시와 남쪽의 서귀포시를 잇는 다양한 길들을 만나보자.

해맞이해안로 | 제주시 구좌읍 김녕리 497-1 ~ 서귀포시 성산읍 오조리 8~3약 27.9km)
노을해안로 | 서귀포시 대정읍 일과리 1452-4 ~ 제주시 한경면 고산리 3451~11약 12.8km)
일주동로 | 제주시 화북2동 4827 ~ 서귀포시 법환동 843약 92.2km)
일주서로 | 제주시 삼양동 231-1 ~ 제주시 도두동 162~2약 79.1km)
중산간동로 | 제주시 봉개동 15460-3 ~ 서귀포시 서호동 1131약 84.8km)
중산간서로 | 서귀포시 서호동 1131 ~ 제주시 애월읍 광령리 17~2약 67km)
1100로 | 서귀포시 중문동 1918-4 ~ 제주시 노형동 918약 33.6km)
516로 | 서귀포시 동홍동 496-1 ~ 제주시 아라1동 423~1약 31.8km)
산록북로 | 제주시 아라1동 산17-1 ~ 제주시 아라1동 376~2약 9.4km)
산록서로 | 제주시 애월읍 어음리 산3 ~ 제주시 해안동 산67약 11km)

산록남로 | 제주시 천왕읍 금악리 405 ~ 서귀포시 상효동 산108~12약 30.2km)
평화로 | 서귀포시 대정읍 한성리 1452-1 ~ 제주시 애월읍 광령리 4~5약 29.1km)
번영로 | 제주시 화북2동 4827 ~ 서귀포시 표선면 표선리 307~1약 35.6km)
대한로 | 서귀포시 대정읍 동일리 2806~12 ~ 서귀포시 한경면 청수리 2914~5약 12.2km)
녹차분재로 | 서귀포시 안덕면 서광리 1903-12 ~ 제주시 한경면 저지리 837~5약 8.9km)
남조로 | 서귀포시 남원읍 남원리 209-5 ~ 제주시 조천읍 조천리 1365~3약 31.2km)
한창로 | 서귀포시 안덕면 창천리 155-12 ~ 제주시 한경면 조수리 315약 1.3km)
녹산로 | 서귀포시 표선면 가시리 2527 ~ 제주시 조천읍 교래리 산11~18약 10.3km)
금백조로 | 서귀포시 성산읍 수산리 1696 ~ 제주시 구좌읍 송당리 2314약 10.7km)
재성로 | 서귀포시 성산읍 수산리 1293-1 ~ 제주시 구좌읍 종달리 3780약 4.1km)

* <곱들락한 제주 길 이야기>, 제주도청, 2014 참조

    제주 섬은 남북방향으로는 삼십이킬로미터로 짧고, 동서로
는 칠십사킬로미터로 긴 타원형 모양이다. 한라산이 섬 중심부에
서 완만한 경사를 이루고 있는데, 둥그스름한 게 멀리서 보면 거북
이 등 모양 같기도 하다. 동서로 길게 펼쳐져 있어서 멀리서 보면
자칫 낮아보이기도 해서 높은 줄 모르다가 막상 등반을 위해 가까
이 가보면 한강 이남에서 가장 높은 산(1950m)이라는 실감이 확 온
다. 예로부터 한라산은 제주 어디에서도 볼 수 있어 제주민에게는
동네를 상징하는 대상이기도 했다. 밭 하나를 일궈도 한라산이 보
여야 좋은 땅이라고 했으며, 어디서 보는 한라산이 가장 멋지냐는
물음은 누구나 자기동네를 댄다.

    시야를 막는 장애물이 없어 지평선이 시원한 이 섬은 한라
산과 함께 드넓은 하늘을 감상할 수 있는 것 또한 큰 장점이다. 제
주 본섬을 육지라고 부르는 섬 속의 섬은 주민이 거주하는 유인섬
이 8개 있으며, 무인섬은 측정기준에 따라 55개부터 82개까지 다
양하게 셀 수 있다.

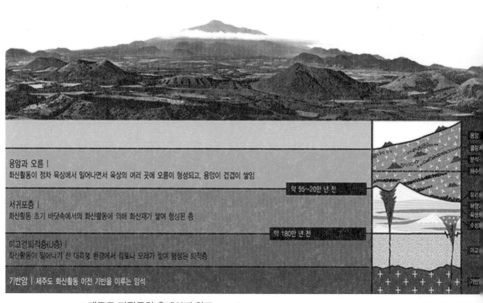

용암과 오름 |
화산활동이 점차 육상에서 일어나면서 육상의 여러 곳에 오름이 형성되고, 용암이 겹겹이 쌓임

약 55~20만 년 전

서귀포층 |
화산활동 초기 바닷속에서의 화산활동에 의해 화산재가 쌓여 형성된 층

약 180만 년 전

미고결퇴적층(U층) |
화산활동이 일어나기 전 대륙성 환경에서 진흙이나 모래가 쌓여 형성된 퇴적층

기반암 | 제주도 화산활동 이전 기반을 이루는 암석

* 제주도 지질공원 홈페이지 참조

지질과 생태
이 모든 것은 화산의 영향

　　제주도는 누가 만들었나 물어본다면 한라산이라고 대답하기 쉽지만, 사실은 오름이 주역이다. 백팔십 만년 전으로 추정되는 시기에 한반도 아래 얕은 대륙붕지대였던 곳에 바다 속 화산폭발이 계속 이어지면서 점점 토대가 높아지다가 결국 오십 만년 전쯤 화산체가 지속적으로 쌓여 해수면 위로 드러난 게 제주의 모체가 되었다. 화산은 바다 아래에서 터지면 수성화산, 바다 위 육지에서 폭발하면 육상화산이라 부르는데 지금 우리가 눈으로 보는 오름의 대부분은 육상에서 폭발한 육상화산으로 분석구가 눈에 보이는 형태이다. 수성화산은 바다 속에 있는 경우가 많으나 다행히 성산일출봉과 수월봉 등에서 쉽게 관찰할 수 있다.

　　과거 교육의 결과로 오름이 아직도 '한라산의 기생화산'이라고 알고 있는 이들이 많겠지만, 오름은 하나하나가 개별적인 화산활동에 의한 결과라 '기생'이라는 표현은 맞지 않다고 한다. 또한 대략 삼만년에서 이만 오천년 전쯤에 지금의 모습을 갖추었다고 여겨지는 한라산이 그보다 오래된 오름을 만들어냈을 리도 만무하다. 산방산, 용머리오름 등 팔십 만년이 넘는 오름들에 견주면한라산은 너무도 젊은데 단지 크기가 크다는 이유만으로 선후관계를 잘못 짐작하면 곤란하지 않을까. 몇 십 만년 동안 바다 속에서열심히 화산재를 분출해 가며 섬 토대를 일군 오름들의 수고를 잊으면 안된다.

다음으로는 이들 오름의 수는 몇 개나 되는지 물어볼 수 있겠다. 아마도 삼백육십여개 라고 들은 이들이 많겠지만 실은 이도 정확하지는 않은 숫자이다. 낮아지고 작아진 오름은 어느 크기까지 포함해야 하는지, 개별분출로 분석구가 있기는 하나 뒤따른 지질작용으로 지금은 땅 속이나 바다에 있는 오름은 넣을지 말지, 하나의 오름 위에 다시 폭발한 알오름은 따로 분류해야 하는지 등 고

려해야하는 요소가 많은데 최근까지 집계한 숫자는 이 모든 요소에 대해 일률적 기준이 적용되지는 않았다고 한다. 세계자연유산 본부 전용문박사 등 전문가 의견은 제주 오름의 수는 굳이 센다면 사백 여개는 족히 넘는다고 하지만, 사실 숫자를 가지고 논의하는 건 큰 의미는 없어 보인다. 삼백이든 사백이든 어차피 엄청나게 많은 오름이 한 섬에 있다는 말 아닌가. 삼백육십여개라는 숫자는 그저 상징적인 의미로 받아들여도 무방해 보인다.

지질의 눈으로 보는 제주도는 역사 이후인 1002년과 1007년(고려 목종 5년, 10년)에도 화산활동 기록이 있을 만큼 젊은 화산섬이다. 따라서 화산의 원 지형이 잘 보존되어 있으며, 다양한 화산분출물을 직접 관찰할 수 있는 자연학습장이기도 하다. 특히 성산일출봉은 오천 여년 전 분출한 수성화산으로, 응회암이 깎여져나가는 모습을 한눈에 볼 수 있는 단층면이 노출된 드문 장소라 제주도가 세계자연유산과 세계지질공원으로 지정되는데 큰 역할을 했다. 현재까지 알려진 제주에서 가장 젊은 화산체는 송악산으로, 약 삼천오백여년 전에 바다에서 분출된 형태로 판단하고 있다. 화산의 종류를 육안으로 간단히 구분하는 방법은 바닥에 붉고 거칠거칠한 화산송이가 보이면 마그마가 공기를 만난 육상화산이고, 반대로 잘 부스러지는 재의 형태를 띤 응회암이 보이면 마그마가 바다에서 물을 만났으니 수성화산이구나 생각하면 쉽다. 산방산은 끈적한 용암의 끝판왕인 용암돔으로 종상화산으로 불리며, 그외에도 하논분화구에서 볼 수 있는 습지 형태인 마르와 산굼부리같은 함몰 분화구 등의 형태가 있다.

제주의 동서 경사가 완만하고, 남북 경사면이 비교적 급한 이유도 화산폭발 당시 흘러내린 용암이 구성암서 차이에 따른 결

과이다. 온도가 높고 밀도가 낮아 쥬스처럼 빠르게 흘러가면 '파호이호이' 용암이라 하고, 반대로 온도가 상대적으로 낮으며 높은 밀도로 마치 꿀같은 형태로 천천히 흘러가면 '아아' 용암이라고 한다. 제주의 동서방향은 파호이호이용암이 흘러 제주말로 빌레라고 하는 용암대지를 넓게 형성하였고 남북방향으로는 점성이 높아 끈적해진 아아용암이 멀리 가지 못한 대신 높은 절벽과 주상절리를 남겼다. 이런 지형차이가 하천에도 영향을 미쳐 대부분의 하천은 남북으로 발달하고, 동서로는 거의 찾아볼 수 없다.

　　반면 폭포는 남쪽 서귀포 해안에만 분포하는데, 이는 같은 아아용암이라도 북쪽 현무암질보다 남쪽의 조면암질이 점성이 더 강하여 더 짧게 이동했기 때문이다. 또한 여러 번의 융기와 침강 그리고 서귀포지역을 중심으로 한 해저 화산활동의 결과로, 제주는

전체적으로 북쪽이 낮고 남쪽이 높은 형태가 되었다. 바닥과 꼭대기의 고도차이가 크면 폭포가 생기기 좋은 조건이 된다. 여기다 상류에 상시로 물이 나오는 용천이 있다면 늘 폭포수가 흐르는 천지연이나 정방폭포같은 모습을 볼 수 있는 것이다. 낙차는 크지만 용천이 없는 경우는 천제연 제1폭포와 엉또폭포처럼 비가 올 때만 장관을 기대할 수 있다.

참고로, 주상절리는 용암이 물을 만나 식어서 생긴 게 아니다. 용암이 해저에서 분출 후 차가운 바닷물을 만나면 급격히 식어버리는 바람에 꿈틀꿈틀 전진하다 멈추고 용암베개가 된다. 주상절리는 반대로 공기 속에서 용암이 천천히 식으면서 생긴 결과다. 수분증발로 공간이 비면 물질들이 안정각을 찾아 중심으로 모이게 되어 바깥으로는 틈이 생기는데, 이 틈은 식는 시간이 충분히 주어질수록 균열이 크고 일정해진다. 중문, 갯깍 등 제주의 용암절리는 남쪽에 분포하며, 용암이 두껍고 식는 속도가 느릴수록 구조가 선명해지는 특징이 있다.

제주는 홍수가 나지 않는다고 알려져 있다. 큰 비가 내려도 땅 속과 바다로 빠져버리기 때문에 땅 윗쪽은 물이 잘 고이지 않기 때문이다. 곶자왈에서 볼 수 있는 숨골처럼 뜨거운 용암이 식으면서 생겨난 틈이 지상과 지하를 이으며 무수히 발달되어 있어 대부분의 하천에도 상시 물이 흐르는 곳은 많지 않다. 하지만 요즘에는 도로가 대부분 포장으로 덮힌 데다 비닐하우스가 늘어나면서 땅으로 빗물이 스며들지 못하기도 하고, 숨골을 일부러 막거나 물길을 다른 곳으로 돌리는 등의 인위적인 영향으로 인한 호우피해가 일부 발생하기도 하니 비 피해가 없다는 말은 옛말이 되어가고 있다. 더불어 한반도 끝자락에 위치한 이유로 태풍은 늘 감내해야 하는 존재이며, 제주와 바람은 계절과 상관없이 늘 함께 한다고 보면 된다.

제주가 생태 다양성의 보고라고 하는 이유도 화산덕분이다. 화산지형이 만든 곶자왈이 기여하는 바가 큰데 제주어로 곶은 숲이며, 자왈은 덤불을 의미한다. 2000년 이후로 널리 쓰이게 된 곶자왈은 '크고 작은 암괴 용암류에 형성된 숲이나 덤불지대'라고 정의할 수 있다(김효철, 송시태 등 〈제주, 곶자왈〉, 2015년 참조). 곶자왈의 분포도 아아용암이 지나간 자리와 관련이 있는데, 이 거친 용암지대가 울퉁불퉁 지나간 자리는 땅이 척박하여 농토로 이용되지 못했고, 방목을 한다해도 효율성이 떨어져 불모의 땅으로 간주되어 왔다. 그러나 이제는 곶자왈이 제주 지하수 함양의 원천이자, 희귀동식물의 서식처로서 생물종 다양성을 만들어내는 결정적인 역할을 한다는 것이 잘 알려져 있다. 곶자왈은 지하수 저장고의 역할을 할 뿐 아니라 지하로부터의 지열과 습기 덕에 계절과 상관없이 온도를 일정하게 유지함으로써 북방과 남방한계식물이 공존할 수 있게 하는 독특한 지역이며, 한라산을 제외한 유일한 숲지대로서 해안선과 한라산 사이를 이어 제주 생태계를 완결하는 중요 축 역할을 담당하여 동식물들이 골고루 분포할 수 있도록 한다. 안타깝게도 그 가치를 무시하고 개발명목으로 대거 파괴된 곳이 많다. 남아있는 곶자왈에 대한 보존노력이 절실한 시점이다.

Ⓐ 한경-안덕 곶자왈 지대   Ⓑ 애월 곶자왈 지대   Ⓒ 조천-함덕 곶자왈 지대   Ⓓ 구좌-성산 곶자왈 지대

1. 제주곶자왈도립공원   5. 납읍 금산공원   6. 교래곶자왈   8. 비자림
2. 청수·무릉곶자왈   7. 선흘곶자왈
3. 산양곶자왈
4. 화순곶자왈

* 제주 곶자왈 도립공원 홈페이지 참조

목(牧)이란 고려·조선시대의 지방행정 단위로서, 지방의 중요한 지역에 설치되었다. 고려 성종 2년(983)에는 12목, 현종 9년(1018)에는 8목을 두었고, 태종 13년(1413)에는 전국을 8도로 나누고 여기에 20목을 두어 각 목에는 정3품의 지방관인 목사(牧使)를 파견하였다. 제주목과 함께 전라도에 소속된 목에는 광주목, 나주목, 능주목(지금의 순천시)가 있었다. 이후 태종 16년(1416) 제주목사 겸 도안무사 오식의 건의에 의해 제주의 지방 행정구역은 제주목(濟州牧)·정의현(旌義縣)·대정현(大靜縣)에 삼읍체제로 개편되었다. 시기에 따라 삼읍의 경계 및 행정구역의 범위에 다소 변화가 있었으나, 조선말기까지 이 체제는 그대로 유지되었다.

◉ 제주도 행정구역의 변천

시기	연혁
상고시대 ~ 삼국시대	탐라(탁라)국
1105년(고려 숙종 10년)	탐라국호 폐지, 탐라군 설치
1192~1259년대(고려 고종년대)	탐라군을 제주로 개편
1275년(충렬왕 원년)	탐라국으로 회복, 총관부 설치
1294년(충렬왕 20년)	고려로 환속, 제주로 복호
조선조 초기(태조년대)	제주목에 군안무사 겸 목사를 둠
1416년(태종 16년)	제주목에 정의·대정현 설치
1864년(고종 1년)	정의, 대정 양현을 군으로 승격, 전라도 관찰사 관할에 둠
1880년(고종 17년)	다시 현으로 환원
1895년(고종 32년)	제주목을 부로 개편, 관찰사를 둠
1906년(광무 10년)	목사를 폐지, 군수를 둠
1910년(융희 4년)	정의·대정군 제주군에 합군
1915년 5월(일제시대)	군제 폐지, 도제(島制)로 개편
1946년 8월 1일	도(道)제 실시 (2군·1읍·12면)

* 제주목 관아 역사관 홈페이지 참조

선사와 역사

탐라, 고려병합, 몽골직할령, 조선, 일제강점기

    제주의 옛 이름이 탐라라는 것은 잘 알려져있다. 다만 제주는 언제부터 제주가 되었는지, 탐라가 어떤 국가였고 언제 소멸했는지를 알고 있는지? 이 질문은 입도한지 얼마 되지 않았던 어느 여름에 생겼다. 제주원도심 투어를 할 기회가 있어 제주목 관아를 방문했을 때 역사전시실에 있는 연혁표를 보게 되었는데, 탐라에서 제주로, 다시 제주에서 탐라로 돌아가는 몇 번의 기록을 보게 되었다. 같이 갔던 제주사람에게 물어봐도 잘 모른다고 해서 의아했는데 알고보니 이 문제는 생각보다 복잡한 이야기였다.

    한반도 육지부에서는 삼국시대부터 고려, 조선에 이어지는 시기가 명확히 알려져 있다. 〈삼국사기〉 〈삼국유사〉 같은 기록서에 적혀있기 때문이다. 하지만 제주는 아직까지 한반도에 편입된 시기조차 의견이 분분한 상태이다. 왜냐하면 탐라는 자체적인 기록문헌이 남아있지 않기 때문이다. 제주는 섬이라는 특성상 신석기, 청동기, 철기 문화도 더디게 유입이 되었고, 상대적으로 국가설립도 늦은 편이었다. 세종대왕 이전에는 한반도에서도 양반층에서만 한자를 이용해 글을 쓰던 시대이니 탐라때 다수의 식자층을 기대하긴 어려울 수 있다. 그래도 외교활동이 있었으니 상호 글로 주고 받은 경우가 아예 없지는 않았을텐데 현재까지는 당시 문서를 못 찾았다고 한다. 옛 제주의 역사를 주변국과 교류하던 흔적으로만 종합해야 하는 안타까움이 있다.

현재 사용하는 제주 명칭의 의미는 건널 제(濟), 고을 주(州) '바다 건너에 있는 고을' 이라 해서 육지 쪽에서 바라본 시각이 반영된 용어이다. 탐라는 제주도의 옛 이름인데 담모라, 탐모라, 탁라, 탐라 등 여러 기록이 있으나 이 명칭들은 공통적으로 섬나라를 일컫는다(조선후기 한치윤 <해동역사> 기록)고 하니 제주 섬사람 입장에서는 탐라가 더 의미있는 이름이 되겠다. 거대 권력집단이 없어 고을나, 양을나, 부을나(을나는 우두머리를 의미) 세 씨족집단이 공동통치를 했을 거라고 여겨지는 탐라시대는 기원 전후로 탄생했을 거라고 추측되고 있다. 그런데, 이후 언제부터 '제주' 라고 불리게 됐을까? 문헌에 의하면 제주라는 명칭은 고려시대부터 등장한다. <고려사> 고종 16년(1229)에 제주 표류민 관련하여 최초 사용되었으며, 파견관리 호칭도 그전에는 탐라령, 탐라 안무사로 불리다가, 고려 고종때부터 제주부사로 호칭한 기록이 있는 것으로 보아 문헌에서는 1220년 전후로 제주 용어를 쓰기 시작한 것으로 보인다.

탐라와 고려와의 인연은 고려가 후삼국을 통일하고 이 년여가 지난 938년에 탐라국주 고자견이 태자 고말로를 보내 고려에 입조하여 형식상 속국이 되었고, 이에 고려 태조는 신라의 예에 따라 탐라에 성주와 왕자의 관작을 제수하면서 시작하였다. 탐라가 신라나 고려로부터 관작을 제수받은 것은 지방 호족 세력이 한반도의 패권을 가진 중앙정부에 입조하여 탐라 지방의 지배력을 인정(책봉)받았다고 보는 게 타당할 것이니 고려 초기까지는 사실상의 독립국이었다. 그러나 지방 호족을 고려의 지배 체계에 편입시키며, 중앙의 통제력을 강화시켜나간 예처럼, 탐라 역시 차츰 고려의 지방 행정 단위로 편입되었다. 바다 건너에 있는 고을이라는 뜻을 담은 '제주' 명칭은 이를 상징적으로 보여준다. 이후 탐라인이 고려 빈공과(외국인을 자국의 관료로 임용하기 위하여 치르던 시험)에 합격하거나, 탐라 출신이라는 이유로 간관에 임명되지 못한 사례에서처럼 명목상으로는 여전히 고려와는 별개 취급을 받는 등 분리된 모습을 보인다.

1105년 숙종시기에 탐라국은 탐라군으로 개칭되면서 속국 지위가 박탈되었고, 본토에 있는 중앙 정부의 통제권에 들어왔다. 하지만 성주는 여전히 대를 이어 세습되었고 어느 정도의 자치권은 계속 허용되었다. 고려 중기 이후의 탐라는 사실상 고려에 복속 했지만 아직 독립국가의 성격도 일부 가진 이중적인 정체성을 가졌다 할 수 있다. 처음에 던진 질문으로 다시 돌아가서 탐라가 언제 소멸되었는가에 대한 답변은 고려로부터 성주를 봉작받은 938년부터, 성주명칭조차 폐지된 1402년까지 다양하게 생각할 수 있겠으나, 일정 연도를 특정하기 보다는 탐라 국호가 폐지된 12세기부터 탐라국의 정체성은 서서히 사라진 것으로 보인다.

당시 탐라가 왜 고려에 병합이 되었는가를 유추해보는 것도 흥미롭다. 해상에 대한 관심이 크지 않았던 고려의 입장에서는 탐라는 그저 남쪽의 작은 섬일 뿐이어서 굳이 영토전쟁을 일으킬 생각은 없었던 것 같다. 고려말 최영장군이 목호의 난을 토벌하기 위해 내려왔을 때도 바다 기상이 안 좋아서 추자도에서 한달 정도 기다렸다가 왔다는 기록도 있으니 왕래하기 편한 곳도 아니었다. 국호를 바꾼 후에도 지방관이 내려와 다스린 것은 오십 년 정도 지난 후였으니 탐라병합이 당시 고려의 의지라고 보기는 어렵지 않을까. 이런 여러 이유로 고려로의 병합은 탐라에서 원한 것이라고 보는 견해가 우세하다.

그렇다면 천년을 넘게 이어온 국가인 탐라가 왜 갑자기 한반도의 강자에게 속하기를 원했을까? 이유는 명확하지 않지만, 1002년과 1007년 두 차례에 걸쳐 일어난 화산폭발의 영향이 컸으리라는 의견이 있다 (이영권, 〈새로 쓰는 제주사〉, 2005). 〈고려사〉에도 기록되어 있는 거대한 화산 분출은 탐라사람들에게는 그야말로 대단한 공포였을 것이다. 특히 두번째 분출은 기억이 생생한 와중에 또다시 일어났으니 얼마나 놀랐을까. 섬 전체가 화산재로 뒤덮여 족히 몇 년은 흉작이었을테니 식량난으로 고통받았을 가능성도 높

다. 당시 민심이 얼마나 흉흉해졌을지 짐작이 된다(이때 분출한 곳이 어 딘 지는 밝혀지지 않았다. 비양도가 천년 전에 날아온 섬이라는 설이 있었으나, 지질탐 사결과 훨씬 이전인 2만 7천여년전에 형성된 것으로 확인되었다). 이때 탐라 지배 층에게는 어떤 강력한 기댈 곳이 필요하지 않았을까? 옆나라 강대 국인 고려에게 물심양면 지원을 요청했을 가능성이 있다. 막막할 때 종교에 기대듯 고려의 힘과 함께 불교도 이 즈음 제주로 오지 않 았나 싶다. 실제로 고려에 병합된 후 제주 무속신앙의 틀은 불교식 으로 상당히 바뀌었고 용어 또한 불교용어에서 다수 차용하는 방 식이 되었다. 본존불 앞에서 무당의 굿판을 볼 수 있는 게 제주 사 찰 풍경이다. 지금도 제주 삼춘들께 종교를 물어보면 불교가 절대 다수인데, 대개는 절보다 신당에 다니는 분들이라 심방불교라 하 기도 한다.

고려에 병합되고 난 후에도 제주는 다시 탐라 명칭을 돌려 받은 적이 있었는데, 이 때가 고려말 원간섭기였다. 몽골의 원나라 가 한반도 전체를 뒤집어 놓을 때 제주도는 원나라로 넘겨져 백 여 년간 탐라총관부가 설치되어 원의 직할령이 되었다. 원이 탐라 명 칭을 의도적으로 사용한 이유는 제주를 독립국으로 인정해서가 아 니라 고려와의 연관성을 제거하기 위한 방편이었다. 일본진출을 꾀했던 원나라에게 제주는 더없는 교두보였으며, 겨울철 한파와 맹수가 없는 섬이라 말을 키우는 데도 적합한 지역이었기 때문에 제주는 원나라의 14개 국영목장 중 하나가 되었다. 위에서 언급한 목호의 난은 '오랑캐로서 말을 키우던 자들이 일으킨 난'이라는 뜻인데, 최초의 몽골식 목마장인 수산평에 말 160필을 가지고 들 어온 목축업자들을 목호라고 불렀다(목호는 오랑캐라는 뜻부터 비하의미 가 있으니 실제 조정에 올린 기록에 등장한 '합적'이라는 표현을 쓰자는 제주목축분야 전문가 강만익 박사님의 의견도 존중한다), 탐라가 고려에 편입되기 이전에도 말이 들판을 가득 메울 정도로 많았다는 기록이 있었지만, 기존의 조랑말과 몽골 호마를 교접하여 개량한 현재의 제주마는 이때 탄생했다. 몽골 유목민인 목호들이 가져온 전문적인 목축기술(말 관리, 낙인, 거세법 등)과 관련 용어는 조선시대까지 이어졌다.

고려말기 무렵 제주에는 두 번의 큰 전쟁이 있었는데 한번은 원나라에 대항하던 삼별초가 제주를 마지막 근거지로 삼아 대항하다가 여몽연합군에게 패했던 삼별초의 난이고, 다른 하나는 원나라가 망하고 명나라가 들어설 때 몽골인과 그 후예들이 명나라에 말을 대거 바치라는 명을 거부하면서 일어난 목호의 난이다. 제주민의 입장에서는 삼별초의 난은 외부세력이 들어와 관군과 전투를 삼일간 벌이다 패배하고 지나간 일이었지만, 목호의 난은 이미 백여년간 몽골인과 혼인 등으로 깊게 연결되어있던 많은 이들에게 피해가 있었던 참사였다. 당시 명나라는 제주가 원의 직접통치령이었으니 원을 계승하는 명이 물려받아야 한다는 이유를 대며 제주를 탐내고 있었으므로, 고려입장에서도 목호 문제를 해결하지 않는다면 제주를 아예 빼앗길 위기라 물러설 수 없는 상황이긴 하였다. 외교적으로 보면 어쩔수 없는 결단이긴 했어도, 1374년 최영장군이 데려온 군사의 수는 당시 제주민의 숫자와 맞먹는 정도의 규모였으며 이때 제주는 한달 여간 피바다가 되었다고 한다. 4.3사건 이전 가장 큰 학살로도 불릴 정도이니 제주에서만큼은 최영장군이 그저 영웅적인 인물일 수는 없다. 이후 제주에서 몽골방식의 풍습은 싸그리 사라졌지만, 그들이 남긴 목축기술은 계속 이어졌으며 몽골로부터 유래한 성씨도 조선초기까지 14개가 있었고 현재까지도 원나라와 운남을 본관으로 썼던 성씨가 남아있다. 그렇다고 특이한 성씨만으로 제주에 유독 몽골후예가 많다고 오해할 건 없다. 애당초 단일혈통이란 신화는 권력자를 위한 통치

전략이었지 않나. 한반도에서 태어난 나도 몽골반점을 지니고 세상에 나온 걸 생각해보면 우리는 모두 지구인.

이후 본격적인 한반도 소속이 되었던 조선시대 제주는 변방에 위치하다보니 중앙으로부터의 혜택없이 감귤, 전복, 옥돔, 미역 등 진귀한 물품을 진상하는 역할만을 주로 담당했다. 조선정부는 제주의 인구규모에 비해 턱없이 많은 역과 조세, 공납을 부과하였다. 일인당 평균 열 개의 역을 졌다고 하며, 대표적으로 목자역(마소 관리), 답한역(관답 경작), 과직역(귤나무 관리), 포작역(전복채취 및 어부), 잠녀역(미역따는 해녀), 선격역(진상품 수송)이 가장 힘들다는 6고역에 속했다. 왜구들이 자주 출몰했으므로 천미포왜란(1552년), 을묘왜변(1555년) 등 전쟁도 빈번해 여성까지 포함한 대부분의 사람들이 일생동안 군역을 지기도 했다. 중국과 동남아시아를 오가며 해상무역과 해적질을 겸하던 왜구는 지나는 길목에 위치한 제주를 어지간히도 괴롭혔다. 우도와 비양도는 왜구들이 아예 공격준비를 위한 근거지로 삼기도 했다고 하며, 기록에는 침략횟수가 평균 팔년에 한 번 이상이라고 남겨져 있을 정도다. 이 때문에 제주는 방어시설이 3성(제주성 등 읍성) 9진(군사행정구역: 화북진, 조천진, 별방진, 수산진, 서귀진, 모슬진, 차귀진, 명월진, 애월진) 25봉수(오름 꼭대기 위치, 해상을 감시하며 연기와 횃불로 경보전달) 38연대(해안언덕 위치, 해안 감시)로 정비되었고, 이는 고려 말부터 조선 말기까지 유지되었다.

여기다 17세기에는 이상기후가 빈번하다보니 흉년까지 겹치고 이미 죽은 이에게도 세금을 매기는 악행도 이어지자 이를 견디다 못한 제주민이 전라도 등 타 지역으로 도망가기 시작했다. 이에 대거탈주를 우려한 중앙정부가 1629년부터 1823년까지 출륙금지령을 내리는 바람에 제주민이 두 이춘류과 해상활동이 이배 여년간이나 통제되었다. 제주민의 활동공간은 섬 내부로만 국한되어 출항할 때도 신고를 해야 했으며, 그나마 작은 배만 허용되어 연안에서만 어업활동을 할 뿐이었다. 외부교역도 없는 취약한 경제구조가 고착된 시기였으며, 제주는 20세기 초반 관덕정에서 첫 오일장이 열리기 전까지는 따로 상업활동도 없이 물물교환으로 생활해나갔다.

조선시대 제주에는 지방관이 파견되어 읍치가 이루어졌는데, 1개의 목과 2개의 현 체제로 제주목(구제주 지역), 정의현(성읍마을

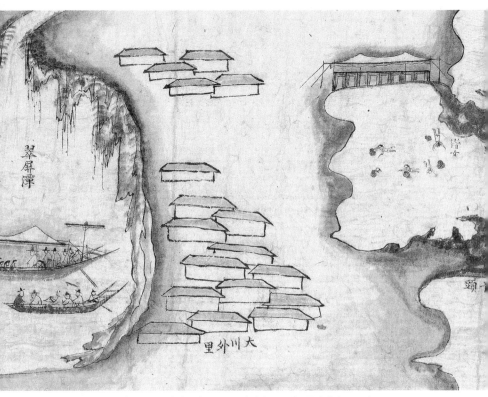

* 보물 제652-6호 탐라순력도 중 <병담병주> (제주특별자치도 소장)

지역), 대정현(추사적거지 지역)로 나누어졌다. 조선시대 지방관은 대개 본인의 연고지를 피해서 임명되는 게 통례였으므로, 제주목사 중 제주출신은 아무도 없었다. 책 서두에서도 언급했듯 과거를 통해 관직에 나아가는 제주민도 드물 수 밖에 없던 시대였기도 했다. 제주목사로 부임한 중앙관리들이 제주실정이나 정서를 알 리 없었고, 오지근무로 분류되어 가족동반없이 단신부임했던 탓에 재직기간이 타 지역 5년의 절반인 30개월로 짧았다. 이마저도 대부분 임기를 못채워 1년 10월 정도의 재직기간이 평균이라고 하니 지역에 대해 통달하기는 어려웠을 듯 하다. 임금이 있는 한양에서 멀기도 하고, 바닷길로 오고 가는 게 위험하기도 한 지역이라 임명이 되어도 좌천되었다고 생각하여 부임을 기피하는 관리들도 있었다고 하니 지금과는 달리 제주의 인기가 높지는 않았던 모양이다. 하지만 막상 와서는 제주 특산물을 보고 욕심이 난 탐관오리들이 상당했다. 조정에 바쳐야 하는 세금과 특산물에 각자의 콩고물까지 챙기는 악순환이 하급관리들까지 줄줄이 이어졌으니 조선후기 제주에서 일어난 민란들이 강력하고도 빈번했던 게 이유가 달리 있어 보이지 않는다.

   기록에도 남은 지독한 관리들이 아니었다 하더라도, 당시 제주에 온 대개의 지방관들은 제주 백성들이 미개하거나 또는 불쌍하거나 둘 중 하나라고 여겼던 듯 하다. 제주민을 미개하게 바라봤던 대표적인 인물이 1702년 초에 부임했던 이형상 목사인데, 그는 '절 오백 당 오백'이라 할 정도로 무속이 성행했던 제주를 계몽해야 한다고 생각했으며 옷을 벗고 물질하는 잠녀를 보고 경악했던 강경 유교성리학자였다. 그때의 물질광경은 용연에서의 뱃놀이 모습을 그린 <병담범주>에서 볼 수 있는데, 중앙관리들이 유흥을 즐기고 있는 중에 그림 오른쪽인 용두임쪽에서 짐녀 몇 명이 직업하고 있는 모습이 보인다. 유일하게 옛 잠수장면이 담긴 그림인데, 자세히 보면 상의는 벗고 아랫도리는 반바지같은 속옷을 입었다. 아마도 깐깐한 영감마님의 눈에는 청천벽력같은 일이긴 했을 거다. 수영복도 잠수복도 없던 시절인데 그럼 뭘 입으란 말이냐 싶지만, 18세기 초반이란 점을 감안하긴 해야 한다. 경상도 영천출신이라 영천영감으로도 불리는 그는 유배인과 교류가 있었다는 이유로 이듬해 바로 파직되어가는 수모를 당하면서도 부지런한 기록으로 〈탐라순력도〉, 〈남환박물〉 등 당시 제주모습을 다수 남긴 업적이 있기도 해서 마냥 미워할 수는 없는 인물이다.

또한 제주사람들을 불쌍하게 여긴 목사도 있었는데, 잠수부가 힘들게 일하는 모습에 안타까워하며 본인 밥상에는 전복을 올리지 말라고 했다고 한다. 이게 기록까지 남겨 칭송할 일인가 싶지만, 워낙 선정을 베풀었다고 전해진 관리가 드물어 이 정도면 감사할 지경이다. 정약용선생의 〈목민심서〉에도 나오는 애민정신이야 목민관이 갖춰야 할 덕목이니 제주에 와서도 발휘해준 건 고맙지만, 미개하고 불쌍한 대상으로 대하기 보다는 상황을 있는 그대로 보고 가장 문제가 되었던 지나친 공출과 불합리한 세금부과를 조정하여 백성의 삶을 실질적으로 도와주는 관리를 기대하는 건 무리였을까.

어지러운 조선 말기에는 제주에서도 민란의 시기였다. 방성칠의 난(1898년), 이재수의 난(1901년) 모두 종교의 갈등처럼 비춰지기는 하나 결국은 화전세, 이중수탈 등 조세수탈과 그 과정이 원인이었다. 민초들이 일어나고 장두의 피가 땅을 적신 시기를 지나니 일제강점기가 닥쳤다. 타 민족에게 강압당하는 서러운 상황인 것은 한반도나 제주나 다를 게 없어 제주에서도 항일운동과 만세운동이 적극적으로 일어났다. 일제 관리와 상인을 투쟁상대로 설정한 법정사 항일운동(1918년), 조천지역 중심의 기미년 만세운동(1919년)과 불합리한 어용조합에 대항한 해녀항일투쟁(1932년) 등이 대표적이다.

제주민들의 입장에서 특기할 점은 이 때가 시기상으로 봉건왕조가 끝나고 근대기에 접어들다보니 이제 돈에 눈 뜨기 시작한 시기라는 점이다. 전에는 물질을 해서 나라에 바치기 바빴는데, 이제는 작지만 얼마라도 현금을 손에 쥘 수 있게 된 것이다. 제주어멍들은 이 돈으로 한국 어머니라면 가장 먼저 할 법한 일을 했다. 바로 자식 교육이다. 부모의 피땀 덕에 일본으로 유학갔던 자식들은 당시 최신 사상인 사회주의를 배워서 돌아왔고, 이는 아래로부터의 교육으로 제주민을 지속적으로 계몽하려는 노력으로 나타났다. 위에 언급한 해녀항일투쟁도 하도리에서 야학교사를 했던 오문규의 노력이 뒤에 있었는데, 그는 제주 혁우동맹(좌익계열, 이후 민중운동협의회) 일원으로 해녀들이 당하는 대우가 얼마나 부당한지 일깨워줌으로써 해녀들의 단합을 이끌어냈다. 하지만 이후 일제는 청년사회주의 운동가들을 해녀항일투쟁 배후로 규정하고 강한 탄압을 가해 더이상 투쟁다운 투쟁은 전개되지 못했다.

* 해녀항쟁 90수년 기념 공연 ('2022. 5. 14.) / 세수빈예종 수관

2차 세계대전이 막바지로 치닫던 1945년 초, 패망을 예감한 일제는 오키나와가 함락되자 제주도를 마지막 보루로 삼는 전략인 결7호 작전을 위해 천명이었던 제주주둔군을 칠만명으로 늘렸다. 제주는 삽시간에 전역이 요새로 변했고, 여러 형태의 동굴진지가 성산일출봉과 함덕 서우봉 등 팔십여 군데의 오름에 칠백여개가 지어져 아직도 남아있다. 그 많은 동굴을 파는 데 제주민들이 강제동원되었고, 5월 이후엔 아이, 노인 가리지 않고 각종 군사훈련에도 동원되었다고 하니 그 고초는 말하지 않아도 알만 하다. 8월에 핵폭탄이 터져 일본이 마침내 항복하지 않았다면, 미군이 9월로 예정했다던 제주 상륙계획도 충분히 실현에 옮겨졌을 수도 있다. 제주도가 민간인 피해자만 12만명으로 추산되는 오키나와 같은 처지가 되었을지도 모른다고 생각하면 아찔하다. 일본 제국주의 광기가 만 35년동안 휩쓸고 간 한반도와 제주가 이만큼 살아남은 것도 어쩌면 다행인가.

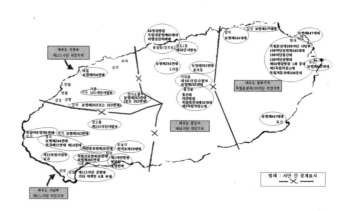

* <결7호작전> 준비 말기 제주도 주둔 일본군 배치도('45.8.15 기준) / 제주학연구센터 참조

하지만 광복 이후에도 제주는 편안해지지 못했다. 일제강점기시절 오사카 등지에 자의반 타의반 노동자로 갔었던 육만 여명이 개인물품도 제대로 못챙긴 채 급히 귀환하게 되었고, 연합국사령관 지시로 일본과의 교역을 일시에 막아버리는 통에 일본에서 일해서 보내오던 송금으로 근근히 버텨오던 제주경제는 순식간에 얼어붙었다. 거기다 친일파들이 청산되기는 커녕 오히려 미군정을 등에 업고 권력을 잡고 있는 상황이라 해방정국의 제주는 갈등이 갈수록 증폭되는 기세였다. 제주만이 아니라 남한땅 전반적으로 미군정은 보복을 두려워하며 숨어있던 친일파 관료와 경찰, 일본군 및 만주군출신 군인까지 적극 불러들였다. 그들을 일본인의 빈 자리로 승진시켜가며 재기용한 헛발질은 현재까지 우리나라가 친일파의 망령에서 벗어나지 못하게 된 결정적인 계기가 된다. 점령국으로서 한반도로 온 미국이 한일관계에 대한 배경지식없이 쉬운 일처리를 위해 원래 일 하던 놈 데려오라는 식으로 안일하게 생각한 결과다. 제주는 광복의 기쁨도 잠시, 다시금 먹고 살기 어려운 상황이 되자 사회불안은 커져만 갔고 이는 4.3사건으로 이어지게 된다.

1990년대 이후에 와서야 겨우 알려지게 된 제주 4.3사건의 도화선은 1947년 3월 1일의 발포사건이다. 해방이후에도 어려워진 상황을 극복하고자 치뤄진 3.1절 기념대회에서 '3.1정신으로 통일독립'을 외치던 날, 집회가 끝난 후 경찰의 발포로 아이를 포함한 민간인 여섯명이 죽고 여덟명이 부상을 당하는 사건이 발생했다. 이를 항의하는 사람들까지 잡혀가자 제주도는 3월 10일 민관총파업으로 똘똘 뭉쳐 거센 저항을 했으나, 오히려 '빨갱이 섬'이라는 낙인이 찍혀버린다. 이후 일년 여간 이천오백명이 넘는 이가 투옥되는 등 공포의 상황이 이어지고 서북청년회와 타 지역 출신 응원경찰대가 급조되어 내려오면서 더욱 큰 긴장이 고조되는 정국이었다. 특히 북 공산당에 가뜩이나 쌓인 게 많은 서북청년회는 아무런 급여나 지원없이 투입된 터라 빨갱이로 찍혀버린 제주민에 대한 약탈과 만행은 이미 예견된 일이었다.

그리하여 남한단독정부 수립 결정으로 분단과 전쟁을 우려하게 한 5.10총선거를 한 달여 앞둔 1948년 4월 3일 새벽 제주에서는 무장봉기가 시작되었고 이에 토벌대의 잔인한 대응이 뒤따랐다. 이 사태는 '해안선에서 5km이상 지역은 적성지역으로 간주하고 출입인은 무조건 사살한다'는 한라산 금족령이 1954년 9월 21일에 풀렸으니 1947년 3월 1일부터 따지면 총 7년 6개월 이상 지속되었다. 오백명 정도로 추정되는 무장대를 토벌하려고 당시 제주인구 십분의 일인 삼만 여명을 희생한 시기였다.

* 산에 올랐다가 하산하는 주민들(1948) / 미국국립문서 / 제주4.3평화재단 참조

4.3사건 진행 부분은 감히 내가 서술하기 어려워 제주4.3평화재단에서 펴낸 〈4.3이 뭐우꽈〉 등 관련 책과 자료집 일독을 추천하며, 그 외 제주 역사에 대한 자세한 설명은 이영권 작가의 〈새로 쓰는 제주사〉를 권한다. 제주민의 시선으로 제주의 역사를 한 권에 빼어나게 정리한 책이다.

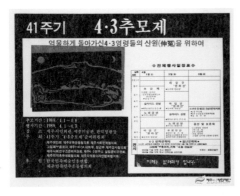

* 제주4.3아카이브
   홈페이지 참조

동백꽃 지다 ─강요배의 4·3역사화전
1998.4.18~4.24

* 제주칠머리당 영등굿전수관 홈페이지 참조

문화와 생활

무속신화, 반농반어, 목축, 의식주

    자연환경이 척박하다보니 의지할 곳은 따로 없고 그저 어디라도 향해 빌고 싶어진다. 거친 바다로 둘러싸인 섬에서 무속신앙이 유독 발달한 이유가 아닐까. 〈신과 함께〉 웹툰과 영화로 제주가 만 팔천 신의 고장이란 게 다시 한번 알려졌지만, 이 대단한 숫자의 신들과 그들의 서사인 본풀이가 단지 제주에만 있었던 건 아니었다. 〈제주신화, 신화의 섬을 넘어서다〉를 쓴 김선자 작가는 한반도를 넘어 아시아 전역에 공통적으로 발견되는 신화의 원류에 대해 말하고 있다. 멀리 대륙까지 언급하지 않더라도 과거 민초의 삶은 육지나 섬을 가리지 않고 어디라도 힘들지 않았을 리가 없다. 형태는 조금씩 달라도 한반도 전역에 제주와 비슷한 방식의 무속제의와 본풀이가 있었다고 하며, 특히 평안도와 함경도가 제주와 두드러진 유사점을 보였다고 하나 남북분단 이후의 상황은 확인하기 어려워 아쉽다.

    제주의 무속신화는 기후와 밀접한 연관이 있다. 예를 들어 음력 이월 초하루부터 보름까지 이어지는 영등제는 바람의 신인 영등할망이 제주를 한바퀴 돌며 곡식과 함께 바다에 씨를 뿌리는 기간이라 하여 해산물 채취나 고기잡이없이 보름간 진행되는 의례인데, 이때가 편서풍의 영향으로 제주에 북동풍이 불어 꽃샘추위와 돌풍이 몰아쳐 일기변화가 심한 시기이나. 세셜이 바뀌면서 바

* 배방선 띄우는 모습 /
제주칠머리당 영등굿
전수관 홈페이지 참조

다속이 다 뒤집어진다고 하는 때라 어차피 조업이 어려우니 다같이 한해 풍어를 기원하며 배방선을 띄웠다. 한반도에서도 비슷한 시기에 지내왔다는 영등제는 마을 본향당의 4대 제일 중 하나이며, 그 외에는 정월에 지내는 신과세제, 장마기운을 날리는 칠월 마불림제, 추수감사의 의미를 담은 시월 시만국대제가 있다. 물론 다 음력기준이다. 이중 마불림제는 목축분야 백중제(또는 테우리코사)와도 연계되어 중산간 지역에서 더욱 의미있는 행사다.

* 아부오름 백중제
/ 제주자치도
홈페이지 참조

마을 당굿은 남녀의 구분없이 마을 사람 모두가 참여하는 형태였으나, 조선중기 이후 유교문화가 확산된 후에는 주로 여성만의 제의로 변해버렸다. 남성들은 유교식 제의인 포제를 지내며, 이때는 여성의 출입도 금한다. 초기에는 음식장만도 남성이 직접 하거나 적어도 가임기가 지난 노년층 여성의 손을 거쳤다고 한다. 생리로 붉은 피를 흘리는 여성이 불경하다고 여겼기 때문이라는데, 과연 신체의 자연스러운 순환없이 생명의 출산은 어떻게 가능하고 또 본인들은 어떻게 태어났다고 생각했던 건지 궁금하다. 사실 성 구분과 차별 문제는 비단 제주만이 아니라, 세계 전체 역사를 돌아봐도 여성을 사람 취급하게 된 건 그리 오래되진 않긴 하다. 그래도 제주는 여성이 중심인 곳 아니었나 싶지만, 사실 신당에 가서도 죽어라 비는 건 아들 낳게 해달라는 거였단다. 기복과 함께 기자신앙이 발달하여 제주에는 삼신할망과 연관된 당이 유독 많다.

　　그럼에도 불구하여, 제주에서 여성의 파워가 세다고 알려져 있는 이유는 단연 남자들이 희소했기 때문으로 보인다. 특히 4.3사건과 한국전쟁을 겪고 나서는 젊은 남성이 모두 죽거나 없어진 상황에서 무슨 일이든 여성이 나설 수 밖에 없었다. 제주가 '삼다도'라 불리는 건 돌, 바람, 여자가 많아서라는데 이를 뒤집어보면 돌이 많아 경작이 어려우며, 바람으로 자연재해가 심하고, 남자가 없어 여자가 남자의 일까지 도맡는 곳이라는 뜻이 된다. 참 살기 어려웠던 시기고 지역이었다. 제주에서 흔히 했던 말에 '소로 못 태어나서 여자로 태어난다'는 말이 있다. 눈 뜨면 몇 리길을 걸어가 물 길어와서 밥 해먹이고 밭일하다가 물때가 되면 바다가서 물질하고 돌아와 다시 밥 해먹고 치우는 일의 반복. 밤 늦게까지 옷을 만들고 꿰매거나 이런저런 부업을 했던 경우도 부지기수라 도대체 언제 쉬있을지 모르겠다. 특히 제주는 서울에노 땅이 일시 않아 농한기가 따로 존재하지 않기 때문에 사시사철 일 안하는 날이 없다. 물질하다말고 배 위에서 출산을 하기도 하고, 갓 태어난 아기를 따로 봐줄 사람이 없으니 애기구덕에 넣어 데려와 밭일하는 게 일상이었다. 여자아이는 교육을 시키는 경우가 드물어서 칠팔십대 이상 여자 어르신들은 글을 몰라 은행도 못 가셨던 경우가 상당했다. 애기바당이 있어 소녀가 열 두살이 되면 작은 테왁을 들고 물질 배우러 나가야 했던 시절이 불과 얼마 전. 물질은 '저승(바다 밑)에서 벌어 이승에서 쓴다'고 하는 고된 일이다. 힘든 청춘을 보냈던 제주 할망들이 당신 딸에게는 물질을 가르치지 않아 요즘에는 해녀가 급속히 줄었다. 물질 안 해도 먹고 살 수 있다면 덜 힘든 일을 선택하는 게 당연하지 않을까. 전통의 상징으로 해녀문화를 계승해나가자는 구호가 공허한 이유다.

해녀와 함께 제주의 특이한 직업형태로는 테우리를 꼽을 수 있다. 중산간 지역에서 말과 소를 키우는 목자를 일컫는 말로, 한반도 어디에도 볼 수 없는 생활방식과 복장을 볼 수 있다. 테우리는 가축과 함께 산을 돌아다니며 몇날 몇일을 방목지에서 지내는 터라 남성만 했었던 일이다. 앞에 여성들의 고단함에 대해서 썼다고 남성들이 아예 일을 안 했다고 오해하면 안된다. 숫자가 적어 상대적으로 귀한 취급을 받았을 뿐이지, 힘들고 어려운 시기를 거쳐온 건 마찬가지다. 특히 테우리는 거주이전과 전직이 불가했던 기피대상이었으며, 16세부터 60세까지 국영목장의 국마생산과 관리에 종사했다. 그 직은 아들에게 세습되었고 실적에 따라 포상제도가 있었으나 마소의 분실이나 사망시 책임을 져야하는 무거운 짐 또한 같이 주어졌다. 관마를 관리할 때는 5일마다 번을 교체하는 방식이었으며, 목장 내부나 인근 마을에 거주하였다. 쇠테우리와 몰테우리로 구분되는데, 소보다는 말이 추위에도 강해 겨울에도

야외에서 방목하기에 적당했다고 한다. 테우리는 초지를 찾아 가축을 배부르게 먹이는 게 가장 큰 일이었으므로, 바람을 막을 수 있는 오름의 위치, 물을 먹일 수 있는 천연 물통과 하천이 어디 있는지를 잘 알고 있었다. 간혹 무리에서 떨어진 마소를 찾으러 다닐 때면 오름으로부터 이어진 한라산 자락이 얼마나 크고 험한지 실감하게 되었을 터다. 사진으로 남은 동물가죽 옷에 비가림 모자 또는 가죽모자에다 설상화를 신은 테우리의 모습이 인상적이다.

좁씨 파종한 밭을 테우리들이 말과 함께 밟으면서 불렀던 독특한 소리는 풍작을 이뤄달라는 소망을 담았던 제주만의 고유문화다. 이는 〈밧볼리는 소리〉로 노동요에 속하며, 그 밖에도 제주민요는 창민요, 의식요 등으로 분류된다. 〈오돌또기〉, 〈영주십경가〉 같은 창민요는 목안과 성읍 등 일부 관청지역에서 성행했고, 그 외 지역에서는 주로 노동요를 불러 다같이 일할 때 앞뒷소리를 주고받으며 기운을 돋으거나, 혼자 일할 때 조용히 읊조리며 시름을 달

랬다. 수눌음으로 함께 김을 맬 때 불렀던 〈검질매는 소리〉, 망건을 짜며 신세한탄처럼 불렀던 〈망근소리〉 등이 대표적인 예다. 제주민요는 신에 기대어 성장과 풍요를 주십사 호소하는 기도의 의미와 함께 제주민의 정서와 언어상을 반영하는 생활예술로의 가치가 있다.

사람이 사는데 가장 필수적이라 할 물은 제주에서는 더욱 절실한 존재였다. 지표수 이용이 어렵던 제주에서는 용천수를 중심으로 마을이 형성되었다. 용천수는 땅 속을 흐르던 지하수가 지층이나 암석의 틈으로 지상으로 솟아나는 물이다. 나는 물 또는 산물이라고 불렸던 용천수는 한라산지역에서 스며든 빗물이 경사가 낮은 해안지역으로 흐른 결과이므로 해안가 마을에는 풍부하게 분포하였으나, 중산간 마을은 봉천수라 하여 하늘에서 나는 물 즉, 비를 받아 가두어두고 쓰거나 몇십키로 떨어진 아랫마을까지 물 길러 오는 수고를 해야 했다. 용천수가 나는 마을이라도 해도 물이 워낙 귀했기 때문에 용천수 둘레는 오염되지 않도록 돌담을 둘렀고, 그 안에서도 먹는 물, 채소씻는 물, 몸 씻는 물, 빨래하는 물 등으로 칸을 나누어 이용했다. 물허벅으로 집까지 지고 온 후에도 깨끗한 물은 식수와 음식준비에 우선 썼으며 허투루 버리는 물이라곤 없었다. 경조사에는 가장 먼저 물부터 상호부조하는 전통도 있던 곳이 제주다. 1960년대에 공동수도가 생긴 이후 1970년대 상수도가 보급되고 나서야 물허벅으로 매일 물 나르던 수고가 없어졌다고 하니 수도꼭지만 틀면 나오는 물이 새삼 감사하다.

물과 함께 제주에 또한 대표적으로 부족했던 것은 소금과 옷감이다. 일단 제주에는 갯벌식 염전이 없다. 구엄포구 등 일부 빌레를 이용한 염전지역이 있긴 하고, 종달리에 바다에서 융기한 형태의 독특한 소금밭이 전해지지만 제주 전체에 공급할 정도는 아니어서 육지와의 교역에 빠지지 않고 등장하는 게 소금이다. 옷감 또한 귀했던 지라 제주 창조설화에 등장하는 설문대 할망에게 육지에 다리를 놓아달라고 빌었을 때 할망이 보답으로 달라고 했던 것도 명주 백필이었다. 아흔 아홉필밖에 마련하지 못해서 결국 다리를 놓지 못했다는 이야기는 섬 환경을 벗어나고 싶었던 제주사람들의 소망과 옷감 구하기 어려웠던 상황을 모두 보여준다. 감물 염색을 한 갈옷을 입은 이유도 옷감 자체가 귀해서이기도 했다. 감물로 염색을 들이면 옷감이 빳빳해지며 질겨진다. 색이 짙어져 자주 빨지 않아도 표시가 안나고 땀이 나도 몸에 달라붙지 않으며, 입

* 제주 민속자연사
  박물관 소장

51

었던 옷을 그냥 두어도 썩거나 냄새가 나지 않아 툭툭 털고 다시 입으면 감쪽같아 주로 일복으로 입었다. 방충효과에다 감물을 진하게 들이면 일부 방수효과도 생긴다. 제주에 흔한 풋감을 으깨 물들일 뿐인데 이런 효과가 나다니 과연 생활의 지혜가 놀랍다.

마지막으로 음식문화에 대해 언급하자면, 지금이야 제주 맛집순례는 당연해졌지만 제주가 사실 음식으로 알려진 곳은 아니다. 1970년대 화학비료가 나오기 전까지는 화산토양이라 지력이 약한 곳들은 밭작물 수확도 여의치 않았다. 식재료가 부족한데다 반농반어(농사반 어업반)로 분주한 생활이라 손이 많이 가는 음식은 할 수도 없었던 시절이었다. 제주 향토요리 전문가에게 제주의 소울푸드로 손꼽을 음식을 물었더니 얼마의 고민 후 '죽'이라는 대

* 제주 낭푼밥상 / <제주식탁>, 양용진, 2020년, pp.18-19 인용

답을 듣기도 했다. 곡식이 부족하니 각종 부재료를 넣어 양을 부풀려 나누어 먹기 좋은 죽을 그만큼 많이 먹었다는 말이겠지. 대신 생선과 해산물이 산지에서 바로 공급되므로 고등어회, 갈치호박국 등 타지에서는 생각하기 힘든 요리가 있다. 신선해서 전혀 비리지 않고, 단순하여 재료의 풍미를 그대로 살리니 오히려 요즘에는 주목받는 방식이다. 제주식 집밥은 냥푼밥상이라 하여, 큰 그릇 하나에 밥을 몽땅 퍼서 같이 먹는다. 대신 국은 따로 먹으며 반찬은 생된장을 기본으로 하고 그 위에 우영팟(제주식 텃밭으로, 집집마다 거의 반드시 있는 형태)에서 따온 채소들이 올라가는 식이었다. 잔치음식으로는 돔베고기, 몸국 등이 대표적이며 '반'이라고 하여 남녀노소 가리지 않고 모두가 접시 하나 분량으로 공평하게 나눠먹는 공동체 문화가 음식에도 반영되어 있다.

© 정둘, <영등할망을 기다리는 마음> 2021년 전시

제주 문화 직접 익히기

〈강습관련 공립기관 목록〉

구 분	기 관 명
행정기관	제주도청, 제주시청, 서귀포시청 * 제주도청 통합예약 포털 - 교육/강좌 〉 교육/강좌 신청
국·도립 박물관	국립제주박물관, 제주 민속자연사박물관
도립 미술관	제주도립미술관, 제주현대미술관
도립 도서관 (제주도 공공 도서관 통합 홈페이지 참조)	한라·우당·탐라·애월·조천읍·한경·삼매봉 ·중앙·동부·서부·성산일출·인덕산방·표선도서관, 제주시·서귀포기적의도서관
교육청 도서관	제주·동녘·한수풀·제남·서귀포·송악도서관
농업기술원	제주·서귀포·동부·서부 농업기술센터
평생학습관	제주시·서귀포시 평생학습관
문화센터	제주문화예술교육지원센터, 설문대 여성문화센터, 제주시 참사랑문화의집
도 출연 연구기관	제주학연구센터, 제주연구원(제주문화중개소), 제주여성가족연구원

알짜 문화복지
제주 공립 및 사립기관 강습 기회

제주에 관해 알고 싶을 때 가장 먼저 체크해 볼 곳은 제주도청, 제주시청, 서귀포시청 등 도내 행정기관 홈페이지다. 세금으로 운영되는 행사들이 대부분이라 무료나 저렴한 비용으로 양질의 교육을 제공하는 경우가 많으며, 메인페이지 공지사항에서 주로 발견할 수 있다. 비단 자체 행정기관만이 아니라 공공의 성격을 띈 다른 기관의 일정도 종합해서 올려주는 역할도 하므로 미처 몰랐던 강습이나 제주 전체를 망라하는 각종 행사일정도 같이 볼 수 있는 장점이 있다.

그외 공공기관 중에서는 국립 및 도립 박물관이나 미술관 일정을 꼼꼼히 보면 좋다. 대표적으로 국립제주박물관과 제주민속자연사박물관에서는 정기적으로 인문학과 예술을 접목한 행사는 물론, 기획전이 있을 경우 이와 연동하여 외부유명인사까지 초청하는 강좌를 개최하고 있다. 제주 역사와 문화 그리고 생태를 중심적으로 공부할 수 있는 중단기 전문 강의도 있고, 시기별로 현장답사로 직접 지역을 밟으며 공부하는 시간도 있으니 공지사항 및 교육/행사 게시판은 주기적으로 체크하길 권한다. 박물관에서 직접 제작한 학술자료들도 홈페이지에서 자유롭게 다운로드 가능하다.

제주도립미술관 또한 미술사와 인문학을 연계한 중장기 강좌나 다양한 분야 그림 실습수업을 개최하고있어 무료로 양질의 미술교육을 받을 수 있다. 물론 정기적으로 바뀌는 전시수준도 상당히 높으며, 한라산 자락에 자리한 위치 또한 예술이라 방문만으로도

〈강습관련 공립기관 목록 (이어서)〉

구 분	기 관 명
교육원	제주 인재개발원, 제주국제교육정보원
교육 통합	제주 평생교육장학진흥원 * 제주평생교육다모아 통합예약 페이지 - 평생교육강좌 신청
지역문화	제주문화원, 제주향교, 제주목관아, 서귀포문화원, 대정향교
예술분야	제주문학관, 제주문화예술진흥원, 제주문화예술재단, 서귀포 예술의 전당, 김정문회회관, 기당미술관, 소암기념관, 이중섭미술관, 서귀포 예술단, 제주공예박물관, 돌문 화공원, 해녀박물관, 한라생태숲
시도 부속 센터	제주 사회적경제지원센터, 제주 도시재생지원센터, 제주시 소통협력센터, 제주생태관광지원센터, 제주세계자연유산센터, 제주지하수연구센터
주민자치 센터	[제주시내] 일도 1·2동, 이도 1·2동, 삼도 1·2동, 용담 1·2동, 건입동, 화북동, 삼양동, 봉개동, 아라동, 오라동, 연동, 노형동, 외도동, 이호동, 도 두동 [제주시 읍면지역] 조천읍, 구좌읍, 성산읍, 표선면, 추자면, 우도면 [서귀포시내] 송산동, 정방동, 중앙동, 천지동, 효돈동, 영천동, 동흥동, 서흥동, 대륜동, 대천동, 중문동, 예래동 [서귀포시 읍면지역] 애월읍, 한경면, 한림읍, 안덕면, 대정읍, 남원읍

마음이 차분해지는 곳이다. 저지리에 있는 제주현대미술관도 전시 수준과 경관하면 빼놓을 수 없다. 본관과 분리된 공공수장고에서는 전시작품을 활용한 미디어아트도 같이 준비하고 있어 그림 속으로 들어온 듯한 황홀감을 만끽할 수 있어 인기만점이다. 더불어 저지문화예술인과 연계한 프로그램도 비정기적으로 열리니 인근 거주자에게는 보석같은 장소.

　　제주학 아카이브의 정점은 제주학연구센터에 있다. 역사 문헌자료부터 사진 및 영상까지 기록물을 보존하고 관리하는 역할을 맡고 있는 제주학연구센터는 자체 연구원과 외부 강사를 초빙한 제주의 여러분야 강의까지 지속적으로 개최하고 있어 심도깊은 지역학 공부를 하기에 최적의 장소라 하겠다. 타 기관에서 발행한 자료도 대부분 이곳에 모아두고 있으니 제주에 관한 자료가 필요할 때는 가장 먼저 제주학연구센터의 홈페이지를 찾길 권한다. 제주문화원에서도 근현대 역사자료를 풍부하게 소장하고 있다. 직접 번역한 고전문헌류와 노년층을 중심으로 한 근현대 기록작업까지 진행되고 있으며, 지역민을 대상으로 일년 단위 제주문화대학을 개설하여 이론강의와 답사를 병행하는 교육을 하고 있다. 한 해의 제주공부를 책임져주는 알찬 프로그램이다.

　　언급한 기관들 외에도 훌륭한 강좌가 많으니 옆 목록에 있는 기관을 직접 검색하면 좋겠다. 대부분 성인을 기준으로 선정한 목록인데, 이외에도 청소년과 아동, 장애인, 노령자 등 세부적인 연령과 집단을 위한 여러 기관이 있으니 키워드와 함께 검색하면 찾기 어렵지 않다. 특히 제주는 청년층 인구가 부족한 상황이라 만 39세 이하인 경우 재능개발이나 취업을 위한 다양한 지원 프로그램들이 많으니 해당 연령이라면 적극적으로 도전하기 바란다.

〈강습관련 준공립 및 사립기관 목록〉

구 분	기 관 명
학교기관	제주대(평생교육원, 박물관대학), 한라대, 제주국제대
작은도서관	제주 동 및 리 단위별 운영 ('22년 기준 162개)
근현대사 분야	제주 4·3평화재단, 제주다크투어
지역문화 분야	제주민예총, 국가무형문화재 제주민요보존회, 칠머리당 영등굿 전수관, 큰굿보전회, 무형문화재 전수관, 조랑말박물관, 헌마공신 김만일기념관, 돌빛나학교, 서귀포 건축문화기행, 제주동자석연구소, 제주역사문화나들이 등
환경 및 생태 분야	제주참여환경연대, 제주곶자왈사람들, 제주생태교육연구소, 아시아 기후변화교육센터, 자연의 벗 등
제주어 분야	제주어보전회, 제주어연구소
사회복지 법인	동제주종합사회복지관 (조천읍센터, 구좌읍 이주여성가족지원센터, 우도센터, 동제주노인복지센터), 동부종합사회복지관 (표선센터) 등
해녀학교	제주한수풀해녀학교, 법환좀녀마을해녀학교
독립서점	북살롱이마고, 파파사이트, 책자국, 제주풀무질, 제주살롱, 책방 소리소문, 한뼘책방, 인터뷰책방, 아무튼책방, 달책방, 어나더페이지, 디어마이블루, 밤수지맨드라미, 북앤북스 등
그 외	제주올레, 함덕32, 제주 문화곳간 마루, 예술공간 오이, 극단 세이레 등

준공립과 비영리단체 등 사립기관에서도 지역공부를 할 수 있는 곳은 많다. 지역학이 국가별 연구에서 지방 단위로 서서히 변모하는 추세인데, 타 지역보다는 육지와 거리가 있어 그 고유성을 간직해온 제주섬이 아무래도 연구할 거리도 다양하다. 나도 처음 왔을 때 뭐든 다 신기해서 분야를 가리지 않고 공부를 시작했다. 제주는 문화도시로 선정되는 등 지역문화 보존과 발전을 위한 관심이 있는 곳이라 행사기획단계부터 공공기관 펀드를 따서 실시하는 경우가 대다수라 개인부담도 크지 않다.

흥미있는 강습기회나 행사정보를 얻는 방법으로는 개별 단체를 일일이 찾아보기보다는 지역매체를 활용하는 걸 추천한다. 집 구할 때 본다는 제주오일장신문도 좋고 KBS제주, MBC제주, JIBS, KCTV 등 지역방송이나 케이블 뉴스도 괜찮다. 강좌나 행사소식은 주로 뉴스 막바지 꼭지나 문화란에 빼곡히 모여 있다. 〈제민일보〉, 〈한라일보〉, 〈제주의 소리〉, 〈제주투데이〉 등 대부분 지방지는 온라인에서도 볼 수 있으니 즐겨찾기 한번이면 그만이다.

지금도 미처 몰랐던 단체에서 진행하는 제주의 역사, 문화, 인물 등 인문학 관련 강좌나 환경 및 생태를 공부할 기회가 계속 올라오고 있다. 제주와 관련된 분야 외에도 개인 발전이나 예술분야 또는 심신건강 향상을 위한 다양한 방면의 수업들도 있다. 글쓰기부터 사진, 영상제작, 연극, 무용, 악기, 그림 배우기 등도 어렵지 않게 찾을 수 있으니 취미로 삶을 더욱 풍요롭게 만드는 활동도 의지만 있다면 얼마든지 가능하다.

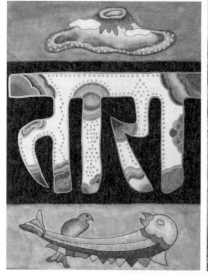

실경험 사례
어떻게 찾고 어떻게 배웠나

흥미있는 수업에 대한 정보를 확보했다면 이제 필요한 건 신청을 위한 빠른 손이다. 대체로 온라인을 통해 선착순으로 신청하게 되므로 알람을 해두는 게 좋다. 관심있는 강좌는 많고, 이 수업이 다음에도 또 있다는 보장이 없으니 겹치지 않는 선에서 최대한 일정을 채우게 되었다. 한 주당 열 대여섯개의 일정이 빼곡하게 들어차 있는 달에는 마치 다시 학교로 돌아간 듯한 기분이 들 정도였다. 수업 말고도 공연문화도 풍성한 편이라 전국 순회공연도 심심치 않게 찾아오며, 제주 도립과 시립 예술단체도 상당하다. 제주 소재 극단만 서른개 이상이라니 그 열정을 알만 하지 않은가. 소극장에서 제주어로 된 연극이나 지역문제를 다룬 공연을 볼 때면 절로 공부도 되는 느낌이다.

실제 경험한 것 중에 수업기간이 길고 꾸준하며, 특히 제주 공부에 도움이 될 만한 수업을 대표적으로 몇 가지 꼽아보았다. 이외에도 꼽지 못하는 단기수업 또한 양질의 교육이 많았으나 일일이 소개가 어려운 게 아쉽다. 도서관 프로그램이 대체로 강사진과 커리큘럼이 탄탄하고 수강생에 대한 지원도 아낌없는 편이라 특별히 들여다보기를 권한다. 또한 많은 독립서점에서도 작가초청 북토크를 비롯하여 인문학 강의를 열고, 지역단위 커뮤니티를 조직하여 다양한 공부모임을 만드는 등 활동이 활발하다. 관심있는 책방의 경우 인스타그램 등 SNS로 공지를 올리는 경향이 많으니 미리 팔로잉이나 즐겨찾기를 해두면 행사참여에 도움이 된다.

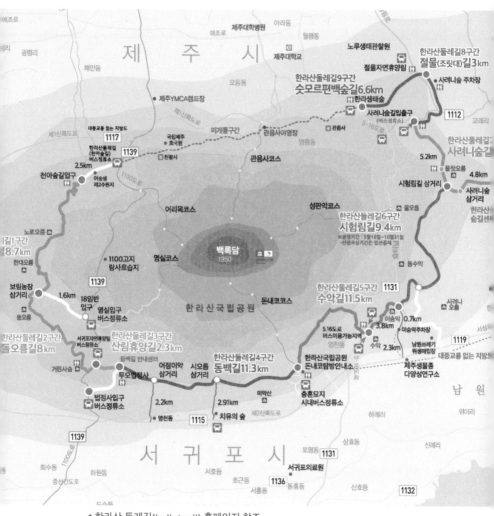

제주시

제주대학병원 · 아라동

노루생태관찰원

애조로

해안동 · 광령리 · 리

월평동 · 오등동 · 제주대학교

절물자연휴양림

한라산둘레길8구간
절물(조릿대)길 3km

한라산둘레길9구간
숫모르편백숲길 6.6km

사려니숲 주차장

한라생태숲

한라산둘레길
사려니숲길

제주YMCA캠프장

제1산록도로

미개룡구간

관음사야영장

사려니숲길입구
(버스정류소)

5·16도로

1112

교래리

대중교통 없는 지방도

1117

국립제주
호국원

관음사

한라산둘레길
(천아숲길)
버스정류소

1139

천왕사

관음사코스

5.2km

물찻오름

4.8km

제1산록도로

1100도로

천아숲길입구

2.5km

어승생
제2수원지

어리목코스

성판악코스

시험림길 삼거리

사려니숲
삼거리

한라산
숲길센터

길1구간
8.7km

노로오름

1100고지
람사르습지

영실코스

백록담
1950

한라산둘레길6구간
시험림길 9.4km

·운행기간: 5월16일~10월31일
·산불조심기간은 입산통제 됨

물오름

동수악

한대오름

한라산둘레길5구간
수악길 11.5km

1131

사려니
오름

보림농장
삼거리

1.6km

1139

18임반
입구

영실입구
버스정류소

돈내코코스

이승악

0.7km

3.8km

이승악주차장

서성로

한라산국립공원

돌오름

서귀포자연휴양림
버스정류소

한라산둘레길2구간
돌오름길 8km

한라산둘레길3구간
산림휴양길 2.3km

어점이악
삼거리

시오름
삼거리

한라산둘레길4구간
동백길 11.3km

5·16도로
버스이용가능지역

영천동

수악

2.3km

남원쓰레기
위생매립장

1119

대중교통 없는 지방5

거린사슴

등록길 안내센터

무오법정사

한라산국립공원
돈내코탐방안내소

제주생물종
다양성연구소

남 원

법정사입구
버스정류소

2.2km

2.91km

치유의 숲

미악산

충혼묘지
시내버스정류소

하례리

위미리

1139

영천동

1115

제2산록도로

서귀포시

회수동 · 하원동 · 종산단도로 · 드스트 · 서호동 · 호근동 · 서홍동

토평동

1131

서귀포의료원

상효동

1136

동홍동

신례리

신효동

1132

* 한라산 둘레길(hallatrail) 홈페이지 참조

분야	제주지역 / 생태	수업명	곶자왈 아카데미	기관명	(사)제주곶자왈 사람들
강사	공동대표 외	기간	과정별 상이	비용	유료

제주 이주 후 처음으로 제주도 곳곳을 제대로 둘러보도록 도와준 프로그램이다. 오름이 좋아서 동쪽으로 왔지만 아무래도 혼자 찾아다니는 것만으로는 한계가 있던 차에 〈제주숲을 걷다〉 프로그램을 발견했다. 덕분에 친절한 일행들과 함께 제주의 보석 같은 장소들을 삼개월간 매주 돌아볼 수 있었다. 당시 참여했던 한라산둘레길 코스는 해발 육백에서 팔백미터 높이의 국유림 일대를 둥글게 연결하는 총 팔십킬로미터 완주 프로그램이었다. 자연 속에서 하루종일 걸으니 마음과 몸의 건강이 절로 챙겨지는 이 숲 걷기 과정은 매년 전후반기로 열리며, 장소도 매번 달라져 연중상시로 참가하는 회원 비율이 높은 편이다.

2022년에는 특별한 강의도 있었다. 제주생태 다큐멘터리를 보면 등장하는 효돈천 원류나 Y계곡 이끼폭포 등을 직접 찾아보는 공부를 해보고 싶었던 차였는데, 마침 일반인을 대상으로 제주지질 장기교육(이론 4회/현장 16회, 총 20회)이 야심차게 등장했다. 지질교육자 출신 송시태 공동대표의 역량 덕에 사개월여간 매주 전문가 안내가 아니고선 찾아갈 수 없는 곳까지 종횡무진 누빈 소중한 기회였다. 다만 교육종료 후 단독탐사 과정에서 생긴 안타까운 사고로 귀한 분을 잃게 되었고, 이와 함께 본 프로그램 또한 추천할 수 없게 된 점이 아쉽다. 그밖에도 해당 단체에서는 곶자왈 보호활동과 함께 생물다양성 탐사 강좌와 매달 보호종을 알리는 취지로 실시하는 정기탐사 등이 계속되고 있으니 누구나 쉽게 참여할 수 있다. 소액이지만 정기적으로 후원하고 있는 단체.

▎제주4·3이란

1947년 3월 1일을 기점으로 하여 1948년 4월 3일 발생한 소요사태 및 1954년 9월 21일까지 발생한 무력충돌과 진압과정에서 주민들이 희생당한 사건으로 미군정기에 발생하여 대한민국 정부 수립 이후에 이르기까지 7년여에 걸쳐 지속된, 한국현대사에서 한국전쟁 다음으로 인명 피해가 극심했던 비극적인 사건이었다. 〈제주4·3사건 진상조사보고서〉

> ## " 1947년 3월 1일,
> ## 요란한 종성이 울렸다 "

1947년 3월 1일, 제28주년 3·1절 기념 제주도대회가 열렸고, 제주읍에서는 북국민학교의 3·1절 행사가 오후 2시에 끝나자 군중들은 가두시위에 나섰다.
시위대가 관덕정을 거쳐 서문통으로 빠져나간 뒤 관덕정 부근에 있던 기마경찰의 말발굽에 어린아이가 치여 다쳤다.
이때 기마경찰이 다친 아이를 그대로 두고 지나가자 흥분한 군중들이 돌을 던지며 항의했고 관덕정 부근에 포진하고 있던 무장경찰은 군중을 향해 총을 쏘았다.
경찰의 발포로 주민 6명이 희생되었고, 이 사건이 기폭제가 되어 그때까지 큰 소요가 없었던 제주사회가 들끓기 시작했다.
제주4·3의 도화선이라 불리는 '3·1사건'은 이렇게 시작되었다.

* 제주4.3평화재단 홈페이지 참조

분야	제주 역사	수업명	시민 4.3 아카데미	기관명	제주4.3 평화재단
강사	박경훈, 김동만 등	기간	1주간 4회	비용	무료

　　4.3사건에 대한 제대로 된 관심을 가지게 된 건 2020년 여름 저지리 예술인마을에 있는 북갤러리 파파사이트에서 〈제주탐독〉이라는 제목 아래 이어진 한 강의로부터다. 아직 제주가 큰지 모르고 다니던 때라 왕복 백오십킬로가 넘는 거리에도 가볍게 나선 날이었는데, 열 대여섯명이 모여 이른 저녁에 시작된 강의는 밤까지 열띤 토론이 이어진 바람에 집에 돌아오니 자정이 훌쩍 넘었다. 오랜만에 오프라인에서 치열한 의견을 나눈 시간이었고, 외지출신 연구자와 현지인 젊은 세대의 이야기를 통해 미처 알지 못한 여러 면을 들여다볼 수 있었다. 분명 우리나라에서 일어난 일이며, 단지 칠십여년 전 일 일뿐인데도 아직 너무나 묻혀진 역사.

　　이후 제주4.3평화재단에서 시민을 대상으로 하는 아카데미 공고를 보고 참가했다. 나같은 외지출신들 외에도 연배있어 보이는 토박이분들로 꽉 찼던 강의장이 생생하다. 당시 수업은 주당 한 번씩 한달간 진행될 예정이었으나, 육지부 판데믹 확산양상으로 미루어져 11월초 한 주간 매일 진행하는 방식으로 전환되었다. 4.3 당시 백여 명이 넘는 주민들이 숨어지낸 동광리 큰넓궤 배경 영화 〈지슬〉의 오멸감독, 예술분야에 표현된 4.3을 보여준 박경훈 화백과 당시 프로파간다 가득한 미디어가 어떻게 사태를 왜곡했는지 보여준 김동만 교수의 강의가 인상적이었다. 4.3이 아직도 이름 없이 그저 '사건'으로만 불리는 이유가 궁금하지 않은가. 매번 커리큘럼이 달라져 또 참석해도 좋은 이 아카데미는 올해도, 내년에도 열릴 예정이다

참여환경연대 회원기행

제주 4·3
함께 걷는 길

2021년 4월 2일 금요일
10:00-17:00

길안내
강호진 제주4.3기념사업위원회 집행위원장

코스안내
선흘 목시물굴 >> 다랑쉬굴 >> 터진목 4.3위령공원
일제 광청기 진지동굴 >> 무릉계동산 >> 성산지서 옛터
서항 특별중대 옛터

신청방법
bit.ly/참여환경연대43기행

제주참여환경연대는
제주의 4월을 맞아
지리동물과 함께
제주4.3의 길을 걸어봅니다.

참가인원은 선착순 20명이며
참여환경연대 회원을 우선접수대상입니다.
참가비는 회원 2만원, 비회원 3만원이며
자랑과 검심식사를 제공합니다.
기타 문의사항 | 064. 753. 0844

분야	제주지역 /생태	수업명	생태안내자 양성교육	기관명	제주 참여환경연대
강사	공동대표 외	기간	주1회 / 12강+	비용	(기초) 무료, (심화) 5만원

　　참여환경연대는 2021년 4.3기행을 통해 알게 되었다. 조천읍 선흘리에 있는 묵시몰골과 다랑쉬굴, 성산 광치기해변 등을 돌아보는 일정이었는데 당시 주민들이 실제로 피신했던 굴에 들어갔던 경험은 아직도 생생하다. 몸 하나가 겨우 들어가는 좁은 입구를 통과해 어둠속을 더듬어 나아가면 놀랍게도 공간이 크게 펼쳐지는 곳이었다. 모르고는 절대 찾아갈 수 없는 곳이라 인근 주민들만 모여 은신하다가 토벌대에게 뒤를 밟혀 들키게 되었다고 한다. 다수가 잡혀 나가거나 입구를 막아 지른 불로 희생을 당했다는 제주의 수많은 궤 중 하나인 이곳에서 전등을 모두 꺼보기로 했다. 눈을 떴는지 감았는지 알 수 없는 지경에 칠흑같은 어둠이란 무엇인지, 내가 4.3 당시 이 곳에 있었다면 어떤 심정이었을지 생생히 느낄 수 있었던 시간.

　　이 기행을 계기로 참여환경연대 후원회원이 되었고, 마침 이어진 생태안내자 양성교육에도 참여하게 되었다. 생태안내자 양성교육은 제주 생태환경의 중요성과 가치를 전하는 프로그램으로 지질부터 지형, 해양생태, 동식물 분야를 포함한다. 기초과정은 2개월간 실내와 현장에서 집중교육 후 참여환경연대 자원활동가와 연계한 현장동행교육이 진행되며, 이듬해에는 기초과정 수료자를 대상으로 심화과정이 집중적으로 이루어진다. 교육 후에는 '생태문화해설가모임 올레'와 '한라생태길라잡이' 두 그룹 중 선택해서 자연에 밀착한 활동을 계속 이어갈 수 있다. 제주와 환경보호에 유관심이라면 강력추천한다.

[문화탐방지도사-제주역사문화 탐방] 강의계획서

2022년도 2학기

과 목 (강좌명)			문화탐방지도사-제주역사문화탐방(기본)			담당강사		김천석	
강의시간			15주(총 45시간) 매주화요일 09:00-12:00			강의방법		이론+실습	
교육대상			일반성인			모집정원		15 명	
강의장소			실내 이론교육 및 실외 현장 탐방						
강의개요			문화탐방지도사의 개념과 역할, 제주의 역사와 전통문화, 독특하고 다양한 문화재 산책을 통한 제주, 제주인에 대한 이해, 제주의 자연환경과 생태, 올레와 오름, 숲과 바다, 해설기법 등						
참고도서			권장도서	지 은 이	출판년도		출판사		가 격
			새로 쓰는 제주사	이영권	2012		휴머니스트		
준비물			현장 탐방에 적합한 복장, 음료수, 수첩 및 필기구						

주 별	월	일	강 의 주 요 내 용	강의방식/탐방장소	강사
1주	9	6	오리엔테이션/ 역사문화탐방 개요 문화탐방지도사의 개념과 역할 ※ 1주차 수업은 평생교육원에서 14시에 진행합니다.	강의, 토론 / 빔프로젝트	김천석
2주		13	제주의 선사문화-사람 발자국 화석	사계리 바닷가, 용머리 해안	〃
3주		20	신들의 섬 제주	성산일출봉	〃
4주		27	탐라 개벽신화의 현장을 찾아	삼성혈, 삼사석	〃
5주	10	4	삼별초의 대몽항쟁	고성 항파두리	〃
6주		11	사람은 서울로, 말은 제주로	가시리 가마장킹	〃
7주		18	제주 섬과 조선의 양반들		
8주		25	유배의 섬, 제주		
9주	11	1	방어유적-봉수와 연대		
10주		8	제주의 무속신앙		
11주		15	제주의 불교문화		
12주		22	제주의 의식주 1 - 초가		
13주		29	제주 민요 따라 부르기		
14주	12	6	해설기법의 실제 1		
15주		13	해설기법의 실제 2		
학습제언			한국국공립대학평생교육원협의회 주관 '문화탐		

[문화탐방지도사-제주역사문화 탐방(심화A)] 강의계획서

2022년도 2학기

강의시간			15주 기준(총 45시수)			담당강사		김 천 석	
			매주 수요일 09:00-12:00			한 주당시수		3 시간	
교육대상			일반성인	정원	15명	강의장소		실내 및 현장 탐방	
강의개요			문화탐방지도사의 개념과 역할, 제주의 역사와 전통문화, 제주의 다양한 문화재 탐방을 통한 현장위주의 이론 습득과 해설기법 등						
구 분			권장도서	지 은 이	출판년도		출판사		가 격
			새로 쓰는 제주사	이영권	2012		휴머니스트		
준비물			탐방에 적합한 복장, 음료수, 수첩 및 필기구						

주 별	월	일	강 의 주 요 내 용	강의방식/탐방장소	강사
1주	9	7	오리엔테이션/ 바람직한 문화탐방지도사의 역할	강의, 토론 / 빔프로젝트	김천석
2주		14	조선 선비들의 발자취를 따라	취병담, 방선문	김천석
3주		21	제주의 보물 - 탐라순력도 탐방	관덕정, 탐라순력	〃
4주		28	제주를 서양에 알린 외국인	하논, 옛 서귀포 성당 터	〃
5주	10	5	현대사의 비극-제주 4.3 현장을 찾아	너분숭이, 함덕 서우봉	〃
6주		12	일제가 남긴 상흔- 군사유적	알뜨르 비행장, 섯알오름	〃
7주		19	섬 속의 섬, 천년의 섬 비양도	비양도	〃
8주		26	제주의 돌 문화	제주돌문화공원	〃
9주	11	2	바람의 고향 제주	안덕계곡	〃
10주		9	하늘아래 첫 동네, 신들의 정원	한라산 영실	〃
11주		16	제주올레의 가치	올레 12코스	〃
12주		23	오름과 곶자왈	화순 곶자왈	〃
13주		30	세계지질공원 산책	산방산, 용머리 해안	〃
14주	12	7	해설기법의 실제 및 시연 1	실습 및 시연	〃
15주		14	해설기법의 실제 및 시연 2	실습 및 시연	〃
학습제언			한국국공립대학 평생교육원협의회 주관 '문화탐방지도사' 민간자격 취득 과정임		

분야	제주지역학	수업명	제주 역사문화탐방	기관명	제주대학교 평생교육원
강사	김천석	기간	주1회 / 과정당 15회	비용	과정당 25만원

　　제주를 통섭적으로 바라보는 시각을 가질 수 있게 도와준 일등공신! 매주 섬 곳곳을 누비는 현장답사를 통해 직접 몸으로 익히고 듣는 역사와 문화는 생동감있는 교육을 가능하게 한다. 이 수업 덕분에 섬의 동서남북 곳곳을 매주 가볼 수 있었고, 제주 토박이 분들도 많이 듣는 강좌라 이론과 실제를 함께 익힐 수 있는 시간이었다. 수업은 봄과 가을 학기에 각각 강좌가 개설되며, 기본과 심화 과정으로 구성되어 있어 총 1년 동안 수업을 들을 수 있다. 두 학기를 모두 듣고 해설시연 실습까지 마무리하면 문화탐방지도사 시험까지 볼 수 있는 과정이라 제주대 평생교육원 프로그램 중 가장 먼저 접수마감되는 인기수업이기도 하다. 제주대학교 평생교육원에선 이 외에도 다양한 자기개발 강좌가 봄, 가을 학기별로 열리니 홈페이지를 참고하면 좋다. 아래는 수업분위기를 짐작할 수 있도록 수업간 제출했던 수업후기를 첨부한다.

2021년 4월 6일 기본과정 수업 후기

　　제주대학교 평생교육원에서 진행하는 〈제주역사문화탐방〉 기본교육이 어느새 6주차를 지나고 있다. 시대순으로 진행되고 있는 김천석 선생님의 강의는 제주의 선사문화, 제주섬 및 탐라국의 탄생 신화, 삼별초 항쟁을 거쳐왔으며, 이번에는 '제주의 말(馬)' 문화를 살펴볼 차례이다. 완연한 봄날씨인 4월 초 〈제주역사문화탐방〉 기본교육 수강생 17명이 서귀포시 표선면 가시리에 위치한 갑마장길로 모였다. 이 날의 답사는 쫄븐갑

Jeju 쫄븐갑마장길 Jjolbun Gapmajang Road

큰사슴이오름
다목적광장
유채꽃프라자
정석항공관 주차장
국궁장
잣성
1.4km
1.3km
1.1km
1.9km
주차장
꽃머체
행기머체
조랑말체험공원
가시천
따라비오름
1.3km 0.3km
0.9km
1.8km

국궁장 ← 잣 성 → 따라비오름

마장길을 기본으로 하되, 강의시간을 고려하여 정석항공관에서 시작하여 큰사슴이오름을 돌아 원점회귀하는 경로로 2시간 남짓 진행하였다.

* 쫄븐갑마장길 : 가장 품질이 우수한 말인 갑마(甲馬)를 별도 관리하던 목장인 갑마장 주변을 올레길로 조성하여 갑마장길이라 칭하였으며, 전체 23km 정도의 길을 10km 내외로 축소하여 접근성을 높힌 경로가 '쫄븐(짧은) 갑마장길'이라 함

　　　　이날 강의 주제인 '사람은 서울로, 말은 제주로'에서 볼 수 있듯이 제주를 상징하는 대표적인 동물은 단연 말이다. 선생님 말씀에 따르면, 제주마는 1990년대에 천연기념물로 지정되어 현재 우수종마를 비롯한 150여 마리 정도가 공식적으로 관리되고 있다고 한다. 그렇다면 말은 언제부터 제주에 있었을까? 개벽설화에서 태초에 삼성(三姓)이 탐라에 정주하면서 오곡을 뿌리고 망아지와 송아지를 길렀다는 기록에서도 보듯이, 제주 섬에서는 예로부터 말을 사육해온 것으로 보인다. 현재의 제주마는 고려 말 몽골간섭기때 제주가 원나라의 14번째 국영목장이 된 후 소형이었던 토종마가 몽고마 등과 섞여 지금의 중형크기로 변화했다고 알려져 있다.

　　　　지금이야 말은 승마같은 운동종목에서 활용되는 정도이지만, 과거에는 전쟁을 대비한 수단으로서의 가치가 대단했다고 한다. 기마부대로 싸우던 시대에는 말은 군인을 태우고 전장을 누비던 중요한 전투장비였으며, 마차를 끌어 군수장비를 나르던 필수적인 수송수단이기도 하였다. 기마전이 종식된 이후에도 화산회토가 많아 토질이 좋지 않던 제주농가에서는 밭경작을 위해서라도 말은 여전히 필요한 존재였다. 하지만 자동차의 등장으로 수송수단으로서의 의미를 잃어버리고 경운기까지 상용화된 지금 말의 가치는 절대적으로 하락하고 말았다. 이제는 경마나 식용 등을 위한 목적 정도로만 기워질 뿐이라고 한다.

시대의 흐름을 어쩔 수는 없겠으나 줄어가는 제주마가 아쉽다. 개인적으로 제주의 경치는 초원 위 말들이 느릿느릿 풀을 뜯고 있어야 완성되는 게 아닌가 싶다. 단순히 실리적인 목적만이 아니라 제주마는 관상용으로도 충분히 기를 가치가 있지 않을까. 유채꽃도 카놀라유를 짜내기 위해 심었다고 하지만, 지금은 그 아름다운 노란빛으로 봄을 부르는 상징이 되었지 않나. 요란한 인공건축물보다 천연의 아름다움, 그리고 자연과 조화롭게 어우러지는 사람들이 오히려 매력을 불러일으키는 세상이다. 그런 점에서 가시리에서 조랑말테마공원과 유채꽃플라자 등 여러사업을 통

해 공동목장을 자체적으로 훌륭히 운영하고 있다는 선생님의 설명이 반가웠다. 이 지역민들은 제주도의 푸른 오름에 말과 소들이 노니는 광경이 제주를 제주답게 하는 특징이며, 관광객이 찾아오는 큰 이유 중 하나라는 점을 잘 알고 있는 듯 하다.

같은 시각에서 '잣성' 말문화에서 비롯된 돌 유적에 대한 가치도 다시 평가되어야한다는 선생님의 의견에도 전적으로 동의한다. 조선시대 세종때 제주출신으로 높은 벼슬을 지낸 고득종의 건의로 만들어졌던 잣성은 방목 중인 우마들로부터 농경지를 보호하는 역할을 위해 만들어졌다. 알려지다시피 해발 150-200m 높이에서 말이 더 내려가지 않도록 경계를 쌓았던 하잣이 먼저 만들어졌고, 이후에는 말들이 너무 높은 곳으로 올라가 사고나는 것을 방지하기 위하여 해발 500-600m 높이에 경계선을 다시 쌓은 상잣이 생겼다. 한라산 전체를 빙 둘러 만들어져 경관이 남다른 잣성은 세계 어디에도 없을, 말과 관련된 독보적인 돌 유적이라 하겠다. 명실상부한 중산간 지대의 상징과 같은 잣성이지만, 너무 흔하게 만날 수 있었던 게 문제였을까. 문화재라는 인식이 정립되지 못한 상태에서 마을과 인접한 하잣의 돌담은 이미 없어진지 오래이며 상잣만 일부 남아있는 상태다. 현재까지 남아있는 유적이라도 보존할 수 있는 방법을 찾는 것이 시급하다. 제주만의 고유한 문화를 배우는 기회를 통해 현안에 대한 문제인식까지도 하게 되었던 시간이었다.//끝.

제주 신화 학교

일반신 본풀이2

제주인의 삶과 애환이 녹아있는 제주 신화,
인간과 희로애락을 함께한 신들의 이야기를
'제주 신화 학교'에서 쉽고 재밌게 배울 수 있습니다.

일 시	2021. 6. 1. ~ 7. 6. (총 6회, 매주 화요일 오후 2~4시)
장 소	제주평생교육장학진흥원 2층 평생배움공간
수강 신청	접수 기간: 2021. 5. 3.(월) ~ 5. 21.(금)

접수처: 제주평생교육다모아 누리집(http://damoa.jeju.kr, 온라인 접수만 가능)

| 수강 인원 | 대면: 선착순 20명 ※ 정부의 사회적 거리두기 지침에 따라 비대면 강의로 전환될 수 있습니다. |

비대면: 제한 없음(접수자에 한해 온라인 주소 발송)

학기 일정	차시	날짜	주제	강사
	1	6.1	영혼을 데려가는 차사의 내력, 차사 본풀이	강정식 제주학연구소 소장
	2	6.8	역마이로 삼천년을 살게 된 수안이의 내력, 수안이 본풀이(명감 본풀이)	류진춘 제주학연구소 연구원
	3	6.15	삶에 여유를이 이야기는 까닭, 지장 본풀이	강정식 제주학연구소 소장
	4	6.22	오곡 씨와 농경의 유래, 땅에 다닌 삶을 돌보는 '세경의 덕, 세경 본풀이'	강소전 제주대학교 강사
	5	6.29	가족 역할과 가주 공간의 신성화, 문전 본풀이	이현정 제주대학교 강사
	6	7.6	병신(病神)의 얼굴 '안칠성과 밧칠성이 지켜주는 풍요, 칠성 본풀이	강소전 제주대학교 강사

| 문 의 | 수강 신청 안내: 064-726-9871(제주평생교육장학진흥원) |
| | 강의 내용 안내: 064-726-5623(제주학연구센터) |

JRI 제주학연구센터   제주평생교육장학진흥원

흑백영화 속에 담긴 濟州
그때 그 시절을 소환하다
The Mountain(한라산) 영화 상영 및 좌담회

2021년 8월 12일, 제주학연구센터가 설립 10주년을 맞습니다. 그동안 성원해주신 도민들께 감사하는 마음으로 영화 상영 및 좌담회를 마련하였습니다. 이번에 상영될 영화는 얼마 전 극적으로 발굴된 〈The Mountain-한라산〉(1963년 작)입니다. 이 영화는 4.3사건으로 초토화되었던 제주 사회가 아픔을 딛고 다시 일어선다는 내용을 담고 있습니다. 당시 제주도민의 삶과 문화가 영상 안에 고스란히 담겨 있어 문화사적으로 가치가 큰 영화입니다. 영화 상영 후, 이 영화를 발굴한 전문가들과 함께 대화를 나누며, 이 영화의 의미와 가치를 되돌아보는 시간도 함께 마련하였습니다. 모쪼록 오셔서 제주학연구센터 10주년도 축하해주시고, 귀한 영화를 관람하는 뜻깊은 시간 보내시길 바랍니다.

〈The Mountain-한라산〉 발굴영화
강유구 교수 스틸 사진

| 일시 | 2021년 8월 12일(목) 14시~17시 |
| 장소 | 김만덕 기념관 만덕홀 |

좌담회 패널진
사회: 김수열(시인)
출연: 김동민(제주한라대 교수), 오승철(제주MBC 전 보도국장), 김순자(제주학연구센터장)

초대 인원
선착순 20명

신청 방법
인터넷 접수 http://naver.me/xM2ecZve

온라인 중계
유튜브 @제주학연구센터

문의
제주학연구센터 064-726-0973

※코로나19 사회적 거리두기 지침에 따라 변동될 수 있습니다. ※ 입장 시 발열 검사를 실시하며, 37.5도 이상 시 입장이 불가능합니다. ※ 마스크 착용은 필수입니다.

JRI 제주학연구센터

2022 제주신화학교
– 당 신앙과 당신 본풀이

일 시	2022. 4. 19. ~ 5. 24. (총 6회, 매주 화요일 오후 2시~4시)
장 소	제주학연구센터 2층 강의실(제주시 임항로 278)
수강 신청	접수 기간: 2022. 3. 28. ~ 4. 18.

접수처: 네이버 폼(https://naver.me/5cDBBD3r)
수강료: 무료

| 수강 인원 | 선착순 25명 ※ 사회적 거리두기 지침에 따라 변동 가능 |

강의 일정	차시	날짜	주제	강사
	1	4.19.	제주의 본향당 신앙과 본풀이	강소전 제주대 강사
	2	4.26.	제주의 일뤳당 신앙과 본풀이	이현정 제주대 강사
	3	5.3.	제주의 산신당 신앙과 본풀이	고은영 제주대 강사
	4	5.10.	제주의 해신당 신앙과 본풀이	강소전 제주대 강사
	5	5.17.	제주의 요드렛당 신앙과 본풀이	류진욱 제주학연구소 강사
	6	5.24.	현지 답사	이현정 제주대 강사

2021 제주 고전 강독회

	1 '제주 고전 바로 읽기' 강좌	2 '제주 고전으로 배우는 제주사' 강좌
강 독 기 간	2021. 6. ~ 11. (1, 3, 5주) 목요일 16:00 ~ 18:00	2021. 6. ~ 11. (2, 4주) 목요일 16:00 ~ 18:00
장 소	설문대여성문화센터 다목적실	설문대여성문화센터 다목적실
내용 및 강사 (대면강의)	김석익의 『파한록(상)』 들여다 보기 – 백종진(제주문화원 사무국장)	다양한 원문 사료를 활용하여 주제별 제주사 읽기 – 홍기표(전 성균관대 사학과 겸임교수)

분야	제주지역학	수업명	제주신화학교	기관명	제주학 연구센터
강사	강소전 외	기간	주 1회 / 과정당 상이	비용	무료

　　이주 첫 해에 우연히 참가한 지역 NGO센터 수업의 한 꼭지로 제주 신당문화를 처음 접했다. 막연하기만 했던 제주의 무속문화가 한 분의 일목요연한 수업 덕에 눈이 떠지는 듯한 경험을 했었는데 그 분이 바로 강소전 선생님이다. 내가 제주무속문화에 관해 조금이나마 아는 척하게 된 건 모두 선생님과 제주신화학교 2, 3기의 공이다. 이후 신화분야 외에도 제주학연구센터 강의는 검증된 전문가를 모신다는 걸 알게 되어 제주 고전강독회 등 여기 수업은 묻지도 따지지도 않고 일정이 되는 한 지속적으로 찾아 들었다. 제주신화학교 1~3기는 열두 일반신 본풀이와 당신 본풀이까지 진행되었으며 모든 강의자료는 제주학연구센터 홈페이지의 '제주학 DB'에서 검색하면 다운받아 볼 수 있다.

　　절 오백, 당 오백이라 불렸을 만큼 무속신앙의 세력이 활발했던 옛 제주의 모습은 이제 많이 사라졌지만, 그 흔적을 보고싶다면 아직도 삼사백여개가 크고 작게 존재하는 것으로 추정되는 신당을 답사하는 모임에 따라가보는 것도 방법이다. 제주인재개발원과 제주역사문화나들이, 도서관 등에서 동서남북으로 나누어 전문가와 함께 진행한 당일투어에 간 적도 수 차례가 된다. 여러 기관에서 다양한 시각을 가진 강사들을 만날 수 있는 기회였으며, 성의있는 준비로 혼자라면 절대 몰랐을 법한 장소를 겹치는 곳 없이 찾아가는 재미도 있었다. 제주대 이현정 강사와 제주섬문화연구소 문봉순 실장 또한 실패하지 않는 길잡이가 되어주는 분들이니 이들의 이름이 보이는 기회가 있다면 주저없이 접해보길 권한다.

5월~11월

「전승교육사님께 듣는 신들의 이야기」

강좌

이야기로 풀어보는 본풀이

칠머리당본풀이, 지장본풀이, 할망본풀이, 칠성본풀이에 담긴 제주 선조들의 옛이야기와 제주신화를 평생 무업에 헌신하신 전승교육사 선생님들의 구술을 통해 듣는다. 또한 민속학자의 설명이 어우러져 제주의 굿과 제주인의 삶을 이해하는 자리가 될 것이다.

참여대상_ 일반인 (8월 매주 토요일 10:00~13:00 총4회)

|본풀이강사

이용옥 (국가무형문화재 제71호 제주칠머리당영등굿 전승교육사)
이용순 (국가무형문화재 제71호 제주칠머리당영등굿 전승교육사)
이승순 (국가무형문화재 제71호 제주칠머리당영등굿 교문)
고덕유 (국가무형문화재 제71호 제주칠머리당영등굿 전승교육사)

날짜	시간	프로그램
8월 6일 (토)		칠머리당본풀이
8월 13일 (토)	10:00 ~ 13:00	지장본풀이
8월 20일 (토)		할망본풀이
8월 27일 (토)		칠성본풀이

「바람의 울림, 바람의 소리」

강좌

소리로 풀어보는 연물

제주의 연물악기를 쳐보며 제주의 굿음악에 대해 이해할 수 있는 시간으로 삼석연물의 기본을 익히고 서우제소리와 새두림에 맞추어 반주장단을 연주할 수 있도록 프로그램을 구성하였다

참여대상_ 일반인 (9월 매주 수요일 18:30~21:30 총4회)

|연물강사

이용옥 (국가무형문화재 제71호 제주칠머리당영등굿 전승교육사)
이승순 (국가무형문화재 제71호 제주칠머리당영등굿 교문)

날짜	시간	프로그램
9월 7일 (수)		삼석연물배우기1
9월 14일 (수)	18:30 ~ 21:30	삼석연물배우기2
9월 21일 (수)		서우제소리와 반주장단
9월 28일 (수)		새두림소리와 반주장단

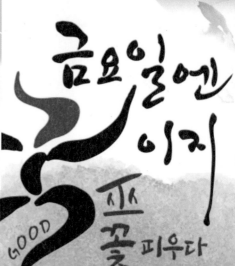

분야	제주지역 /무속	수업명	제주 굿 본풀이, 연물	기관 명	칠머리당 영등굿전수관
강사	이승순 심방 외	기간	(과정별) 주 1회 /4주	비용	무료

'심방'이란 무속을 행하며 신과 인간의 중간자 역할을 하는 이를 이르는 제주말이다. 문화가 달라 육지의 무당과 정확히 대응한다고 보긴 어렵다. 제주는 무병을 앓지 않고도 심방이 되는 경우가 왕왕 있으며, 작두를 타는 등의 물리적인 기행은 없는 편이다. 신의 내력을 푸는 본풀이를 몇 시간씩이나 옛 제주어까지 섞어 모습을 보고 있으면 진정한 구전문화의 계승자가 이들이라는 생각이 절로 든다. 실제로 제주 심방은 '큰굿보전회'와 '칠머리당 영등굿전수관' 등을 통해 무형문화재로 그 가치를 인정받았으며, 현재 큰 심방은 제주 전역에도 손에 꼽을 정도만 남아있는 상태다.

이런 와중에 큰 심방으로부터 직접 굿에서나 들을 수 있는 본풀이를 들으며 배운다는 건 놓칠 수 없는 기회다. 삼십여분이 넘게 할망본풀이를 줄줄 시연하는 이승순 심방에 경외심이 들었으며, 굿에서 쓰는 서우제소리에 본풀이를 담아 부르시는 이용옥 심방 또한 동시대에 뵐 수 있어 다행이다 싶었다. 이들로부터 장구, 설쇠, 북 등 연물을 배워 서툴게 두드려보고 나니 이제 굿을 볼 때 좀더 이해를 할 수 있겠다 싶어 반가웠다. 2022년에는 판데믹 이후로 현장수업이 다시 활발해져서 궁금했던 굿상차림을 직접 준비해보는 시간도 있었다. 칠머리당 영등굿전수관 수업과 행사들은 이외에도 상설로 매번 다른 팀의 공연을 올리는 〈굿보러가자〉 등 연말까지 빽빽할 정도의 일정이 있으며, 무속을 잘 모르는 이도 늘상 열정적인 스텝분들의 기운 덕에 절로 흥겹게 어우러질 수 있으니 걱정말고 사라봉 자락으로 향해도 좋겠다.

■ 문화대학 이론_ 월요일 16:00 ~ 18:00 // 답사_ 월요일 9:30 ~ 16:30

강 좌 명	일 자	강 사	모집인원
제주 명승 속 마애명	4월 4일	백종진(제주문화원 사무국장)	40명
칠성대와 칠성도	4월 11, 18일	홍기표(전 성균관대 겸임교수)	
답사 1	4월 25일	홍기표(전 성균관대 겸임교수)	
제주도 분묘와 석인상	5월 2, 9일	이창훈(제주동자석연구소장)	
잊혀져 가는 제주도 문화재	5월 16, 23일	고영철(제주문화유산답사회장)	
답사 2	5월 30일	이창훈(제주동자석연구소장)	
답사 3	6월 13일	고영철(제주문화유산답사회장)	
제주도 생활 민구	6월 20, 27일	강은실(제주대학교박물관 학예사)	
제주도 돌담과 돌챙이	7월 4일, 11일	조환진(돌빛나예술학교대표)	
답사 4	7월 18일	강은실(제주대학교박물관 학예사)	
답사 5	7월 25일	조환진(돌빛나예술학교대표)	
탐라순력도와 18세기 지방 기록화	8월 22일	김승익(제주국립박물관 학예사)	
1950-70년대 제주인의 삶 1	8월 29일	유승희(제주문화스토리텔러 작가)	
1950-70년대 제주인의 삶 2	9월 5일	생활문화해설사 2인	
제주인의 삶과 지혜	9월 19, 26일	윤용택(제주대학교 철학과 교수)	
제주향토사 원로 특강	10월 17일, 24일	김익수(국사편찬위원회 사료조사위원), 오문복(한학자)	
답사 6	10월 31일	김익수(국사편찬위원회 사료조사위원)	
답사 7	11월 7일	오문복(한학자)	
제13회 향토문화발전 세미나	11월 14일		
수료식	11월 21일		

기억으로 보는 제주도 생활문화 4

역주 대정현아중일기

제12회 향토문화발전세미나

제주도금석문집 Ⅳ

분야	제주 지역학	수업명	제주문화대학	기관명	제주문화원
강사	사무국장 외	기간	주 1회 / 27회	비용	10만원

연초에 모집해서 일년 내내 하는 수업이다. 제주역사와 문화를 전반적으로 다 훑어보는 프로그램이라 팩스나 현장방문으로만 신청이 가능한데도 경쟁이 치열하다. 매년 강의주제와 강사도 매번 바뀌는 성실한 커리큘럼에, 주제마다 강의실 이론수업 2회 먼저 한 후 답사를 하루종일 나가는 형식이라 지식과 체험 모두를 잡을 수 있다. 제주문화원은 구제주 탑동광장이 보이는 곳에 위치하고 있으며, 과거 문헌번역과 근현대 기록수집 등에 열심인 기관이다. 제주대학의 수강생은 대부분 은퇴하신 토박이분들로 구성되어 연령대는 꽤 높은 편이다. 그 지역에 태어나서 산다고 해도 일부러 시간내어 공부하지 않으면 미처 모르고 지나가는 부분이 많다는 걸 늦깎이 학생분들도 잘 알고 계신다. 수업참석 열의가 높으며, 마치 소풍가듯 기쁘게 답사에 참여하는 모습은 본받을 점이다.

모 대학 박물관대학 등 유사한 형식의 타 기관 수업도 참가했으므로 기관별 비교가 되는 건 어쩔수 없는데, 아무래도 제주문화원쪽이 강사진 선정부터 신경써서 준비한 게 확연히 느껴졌다. 동쪽에 살다보니 제주시내로 나가려면 왕복 두 시간은 걸리는지라 수업의 질이 기대에 미치지 못할 때는 돌아오는 길이 허무할 때도 종종 있었는데, 문화원 수업은 대체로 전문적인 내용에 시간을 알차게 짜서 운영해서 믿고 나설 수 있었다. 수강료도 타 기관에 비하면 저렴한 편인데, 아마도 현장답사 점심값 정도의 비용만 받는 모양이다. 제주문화원에서는 제주대학 외에도 제주민요, 그림, 서예, 한문 등 문화학교도 신청할 수 있다. 제주향교와 함께 전통문화 학습을 통한 개인소양을 높일 수 있는 기회를 제공하는 단세나.

분야	제주 지역/ 예술	수업명	제주 공예	기관명	제주 돌문화공원
강사	안영희, 김동필 외	기간	다양	비용	무료

제주 돌문화공원은 입도 첫 해에 가장 많이 간 장소다. 루시 드폴 공연과 고상지 반도네온 연주, 국제즉흥춤축제 등 모든 게 멈춰있던 시기에 드넓은 야외에서 문화활동을 즐길 수 있어 숨통을 틔게 해준 곳이었다. 이후에도 돌문화공원에서는 그림 전시와 각종 국악과 연극공연, 작가와 구매자를 바로 연결하는 샛보롬미술시장 같은 신선한 행사가 오백장군갤러리를 비롯한 공원 곳곳에서 꾸준히 열렸다.

올해 초여름부터는 제주전통공예품을 보고 직접 참가하는 프로그램이 정기적으로 진행됐는데, 돌하르방을 만드는 석공예, 애기구덕 만드는 죽공예, 전통 살레를 만드는 목공예 등 여러 분야의 장인들이 한 두달 정도 꾸준히 돌문화공원으로 나와 작업을 하는 모습을 볼 수 있었다. 제주전통가옥마을인 돌한마을에서 분야별로 자리잡아 현장에서 공예품을 만들고 이에 대해 간단한 교육까지 해주는 시간이었다. 미리 죽공예와 목공예를 신청했었는데, 죽공예시간에는 울담에 길렀던 신설란을 가르고 꼬아 애기구덕을 마무리하는 것을 도우며 과거 살림에서 구덕(바구니)을 어떻게 사용했는지 생생하게 들을 수 있었고, 이후 목공예에서는 과거 신부가 혼수로 가져갔던 가구인 살레(제주식 찬장)를 만드는 체험을 할 수 있었다. 운이 좋게도 일행과 함께 작은 살레를 직접 제작하는 기회까지 주어져 한달 가량 매주 방문하여 톱으로 나무도 잘라보고, 사포질도 열심히 해가며 나만의 작품을 만들어 보기도 하였다. 이처럼 다양한 돌문화공원의 행사는 정기적이지는 않아도 꾸준히 열리는 편이니 관련 정보를 놓치지 말기를 권한다.

KBS 7시 문화 현장 제주민요의 귀함을 전하다 '제주민요 배움터'
125 views · 7 months ago

국가무형문화재 제95호 제주민요보존회

2022년 2월28일 KBS제주방송 제주민요의 귀함을 전하다 ' 제주민요'

분야	제주지역/예술	수업명	제주민요 배움터	기관명	제주민요보존회
강사	강문희	기간	주 1회 / 연중	비용	무료

첫 수업부터 독창을 시키는 곳이다. 낯선 이들 앞에서 두근대며 한 소절 불렀던 게 2월이었는데 어느새 일년이 지났다. 수강생 대부분이 제주분들이라 민요 속 가사풀이를 하다보면 동네마다 조금씩 다른 어휘와 생활방식도 공부할 수 있다. 성읍은 과거 정의현의 중심지라 조천읍과 함께 창민요도 활성화된 지역으로, 저녁이면 여염집 아낙도 소리판에 모여 노래를 하던 곳이다. 국가무형문화재 95호 故 조을선명창을 이어받은 제주민요보존회가 운영하는 민요배움터는 매년 초에 모집하여 일년 동안 가르치는데, 매년 12월경에는 연말결산 개념의 발표회도 준비하여 당해연도에 제주민요를 얼마나 익히고 널리 알렸는지 선보이기도 한다.

내가 생각하는 이 곳의 최대 장점은 창민요, 노동요, 의식요 등으로 구분하여 체계적으로 수록한 〈제주민요 악보집〉이 있어 체계적인 교육이 가능하다는 것이다. 이 악보집을 바탕으로 매년 분야별 음반을 제작해온 덕에 수업 외 시간에도 소리를 접하고 익히기가 좋다. 2022년 기준 창민요와 노동요까지 녹음되었으며, 이후 의식요와 기타 소리 음반이 최종적으로 제작될 예정이다. 이 단체 외에도 제주민요를 배우고 싶은 초보자를 위한 강의는 제주문화원 민요교실, 제주대 평생대학원 국악교실, 설문대여성문화센터 강좌, 제주문화중개소 등 동호회나 동 및 읍 주민센터 문화강좌에서 어렵지 않게 시작할 수 있으며, 공연단체로는 제주농요보존회, 이어도민속예술단, 국악연희단 하나아트 등이 있다.

2021 예술로 제주 탐닉

잃어버린 마을에서 보내는 선물

참가자 모집

잃어버린 마을 '무등이왓' 200명의 땅에 동광마을 주민들과 함께 조(粟)를 경작하고, 전통주를 빚을 참가자를 모집합니다. 함께 빚은 전통술은 큰넓궤에 보관 후 2022년도 4·3 위령제 제주(祭酒)로 사용할 예정입니다. 또한 동광마을주민과 자녀, 그리고 2021 예술로 제주 탐닉 참여자의 이름으로 4·3유족과 한국 및 세계인권단체에 전달 될 예정입니다.

* 시기
  7월 ~ 12월
  (세부일정은 프로그램 참고)

* 대상
  누구나 참여 가능(선착순 20명)

* 모집기간
  2021년 7월 8일(목)까지

* 참가비
  70,000원(민예총 회원 50,000원)

* 입금계좌
  농협 301-0127-7101-51
  제주민예총

* 참가신청
  구글신청서로 접수 https://lrl.kr/d2vM

* 문의
  제주민예총 758-0332

구분	일시	주요내용	강사(단체)	장소
만남	7월 10일(토) 14:00~16:00	오리엔테이션 잃어버린 마을에서 보내는 선물	김수열(시인)	동광리 복지회관
땅살림	7월 24일(토) 10:00~16:00	땅살림(씨뿌리기) '어려어려 밭 밟는 소리'	동광리 삼춘 민요패소리꾼 등 참가자 전원	동광리 무등이왓
	8월 3일(화) 19:00~21:00	척박한 땅을 일군 지혜 - 조(粟)와 술	고광민 (제주 민속학자)	제주민예총
	8월 21일(토) 10:00~16:00	무등이왓 순례길 - 동병상련(同病相憐)에서 동병상원(同病相願)으로	홍춘호할머니 (4·3생존자, 큰넓궤) 김동현(문학평론가)	동광리 무등이왓
	8월 31일(화) 19:00~21:00	제주 농경신화	한진오(극작가)	제주민예총
	9월 4일(토) 10:00~16:00	김매기	탐라미술인협회	동광리 무등이왓 큰넓궤
항살림	10월 16일(토) 14:00~16:00	항살림 I - 제주 항에 대하여	고원종(작가)	고원종작가 작업실
	10월 30일(토) 14:00~17:00	항살림 II - 도자기 술잔 만들기	김영훈(도예가)	동광리 복지회관
	11월 6일(토) 10:00~16:00	조(粟) 베기와 장만하기	동광리 삼춘 참가자 전원 공연팀 미정	동광리 무등이왓
궤살림	11월 27일(토) 14:00~17:00	제주전통 술을 빚다 I 좁쌀술, 오메기떡 만들기 체험	전통술 빚기 기능소유자	동광리 복지회관
	12월 4일(토) 14:00~17:00	제주전통 술을 빚다 II - 고소리 술 만들기	전통술 빚기 기능소유자	동광리 복지회관
	12월 11일(토) 10:00~13:00	항 입궤- 술을 돌이다	참가자 전원	큰넓궤

4·3항쟁 73주년
4·3예술제전

4월의 봄, 다시 역사 앞에 서다

04. 25(일)
궤펜아오름 예술제 '진달래꽃 타올라'

4·3항쟁 74주년29희 찾아가는
4·3예술축전 현장예술제 03

해녀항쟁 90주년 세화리 예술제

항쟁

참가자 모집

일 시 : 2022. 5. 14(토) 13:00~18:00
장 소 : 구좌읍 일대

분야	제주지역/민속	수업명	예술로 제주탐닉	기관명	제주 민예총
강사	이사장 등	기간	후반기(조농사), 다양(그외)	비용	7만원(조농사), 무료(그외)

조를 직접 심어 검질매고 추수한 후 전통방식으로 술까지 빚어보는 경험. 더구나 이게 4.3 위령제에 올라갈 제사용 술이 될 거라니 너무 의미있는 행사아닌가! 시리즈로 진행하고 있는 '2021 예술로 제주탐닉' 프로그램 중 〈잃어버린 마을에서 보내는 선물〉 신문공고를 보고 설레는 마음으로 신청했다. 기대만큼 특별한 시간이었다. 첫날부터 안덕면 동광리 무등이왓에서 문석범 소리꾼의 초혼으로 시작해 위령제를 지내고 조를 심었다. 잃어버린 마을은 4.3당시 토벌대가 중산간마을을 소개시키고 불을 질러 집을 두고 떠나야 했던 사람들이 다시 돌아오지 못한 곳으로, 아직도 백여 개의 자연마을이 비어있는 상태로 남겨져 있다고 한다.

농사초보들이 모여 파종부터 김매기, 추수 후 오메기떡에 고소리술까지 만들어 4.3당시 주민피신처였던 큰넓궤에 항아리를 들여놓기까지 육개월에 걸친 대장정이었다. 큰넓궤에서 생존하신 삼촌을 비롯한 동광리주민분들이 처음부터 끝까지 도와주셔서 더 뜻깊게 진행할 수 있었고, 제주식 증류주 만드는 과정까지 직접 경험해볼 수 있어 좋았다. 이 외에도 두달여간 곳곳을 다니면서 문학, 펜드로잉, 손글씨로 제주를 표현해보았던 〈삼인삼색 예술로 놀자〉와 큰굿보전회와 함께 진행했던 위령제, 4.3 예술축전과 해녀항쟁 90주년 세화리예술제 등 너무 알찬 행사가 많았다. 덕분에 제주의 아픈 역사도 마음으로부터 공감하며 배울 수 있었다. 특히 〈잃어버린 마을에서 보내는 선물〉 행사는 취지부터 강좌 하나하나까지 빠뜨릴 것 없는 프로그램이라 적극 추천한다.

분야	제주지역/생활	수업명	감물염색	기관명	서귀포 농업기술센터
강사	염색공예가	기간	당일 (8월초)	비용	실비

　　제주에서 일복으로 주로 입어 지금도 민요공연 때 보는 갈옷은 막연히 생활한복같은 개념으로 생각해왔는데, 알고보니 기능성으로 입는 옷이었다. 쉽게 더럽혀지지도 않고 빳빳하니 몸에 달라붙지도 않아서 여름에는 특히 시원하게 입을 수 있는 옷이라 일할 때는 물론 평상복으로도 즐겨 입었던 게 갈적삼과 갈중이다. 어떻게 만드는지 궁금했는데, 서귀포 농업기술센터에서 매년 열리는 감물염색축제에 대한 정보를 듣고 예약 오픈날을 기다려 바로 신청했다. 나눠주는 천 외에도 집에서 하기엔 부담스러운 크기나 양을 가져오거나, 감물염색 후 추가적으로 하는 쪽염을 들이러 오는 사람들도 꽤 보였다.

　　제주의 감은 먹기 좋은 단감류가 아니라 작고 단단하면서 씨는 크고 매우 떫은 토종감이라고 한다. 제주의 일복인 갈옷을 만드는 데는 바로 이 떫어서 먹을 수 없는 토종감을 사용하는데, 단감에 비해 탄닌이 많아 섬유를 빳빳하게 하는 역할을 담당한다고 한다. 감물염색 방법은 여름에 아직 익지 않은 풋감을 자르고 으깨어 순수한 감즙을 만든 후 물을 섞어 천을 담그고 조물조물 비비는 게 전부다. 염색인데 매염제가 따로 필요없다는 점이 신기했다. 감물에 담궜다가 말린 천은 맑은 황토색이 되었는데, 중요한 건 이후부터였다. 발색을 더 하고 싶다면 젖은 상태에서 햇볕이 골고루 잘 닿게 해주어야 한다. 물에 담궜다가 빨랫줄이나 깨끗한 바닥에 널어두는 작업을 계속해야하는데, 원하는 색깔이 나올 때까지 그저 인내심을 가지고 말리는 게 중요하다.

분야	제주 지질	수업명	세계유산축전 동굴탐험	기관명	세계자연 유산센터
강사	전문해설사	기간	단기 (10월 초중반)	비용	회차당 1만원

　　만장굴은 1946년 부종휴 선생님이 발견하고, 김녕초등학교 6학년 삼십여명으로 꼬마탐험대를 조직하여 햇불과 노끈으로 실측해 세상에 알렸다. 이 깜깜한 거대동굴의 미공개구간을 직접 탐험하는 경험을 2020년부터는 직접 할 수 있는 기회가 생겼다. 매 10월 초 세계유산축전 행사로, 8월경 치열한 사전예약 뚫으면 가능하다. 2021년에도 어렵사리 신청했으나 코로나사태가 한창 긴장감을 고조시킬 즈음이라 행사 바로 전날 취소가 되는 바람에 아쉬웠는데, 2022년에는 드디어 속시원하게 할 수 있었다.

　　제주 지질분야 공부를 제법 해왔고, 궤나 땅굴 속에 들어가는 경험도 몇 차례 했지만 이번은 헬멧부터 복장까지 제대로 챙겨 들어가는 본격적인 탐사라 마음가짐부터 달랐다. 거문오름 용암동굴계의 대표 동굴인 만장굴과 김녕굴(4시간 소요), 벵뒤굴(3시간 소요)을 이틀에 걸쳐 하루씩 들어가보았는데, 특히 지질해설사들도 잘 못 가봤다는 벵뒤굴이 인상적이었다. 승합차로 이동한 후 웃바미오름에서 걸어들어가는데, 굴 크기가 작아 시간대별 최대 여섯 명만 들어갈 수 있었다. 미로처럼 얽힌 형태에, 뾰족한 바닥이거나 낮은 천장에 오리발로 진흙탕을 지나야하는 구간도 있는 등 긴장을 늦출 수 없는 시간이었다. 험한 곳을 헤쳐나오다보니 동굴입구의 빛을 만날 때는 끈끈한 동지애까지 느꼈을 정도. 이 탐험대 프로그램을 위해 일부러 육지에서 온 사람들이 대다수인 걸 보고 제주시는 보람을 새삼 느꼈다. 도민으로서 다음 해 또 뵙힘에정이다.

한라도서관 2022 길 위의 인문학

독자에서 작가로, 생각에서 세상으로 '제주독립출판' 3기

나 만 의 책 만 들 기
프 로 그 램

2022. 5. 15. ~ 11. 6. 매주 **일요일** 15:00 ~ 17:00

운영대상
제주도민 25명(성인)

신청일시
2022. 5. 8.(일) 09:00 ~ 18:00

진행방식
온라인(ZOOM) 및 제한적 대면

신청방법
공공도서관 홈페이지 접수

※ 참가비 무료

꼭! 기억해주세요

- 책 한 권 분량의 원고를 쓰고, 편집/디자인/인쇄 전반에 직접 참여하며 한 권의 책을 만들어내는 프로그램입니다.
  √ 평소 글을 꾸준히 쓰고 계신 분
  √ 만들고 싶은 책을 구체적으로 구상하고 계신 분 환영합니다.
  √ 총 25강의 지난한 과정입니다.
  적극적으로 참여하실 수 있는 분들만 신청 당부드립니다.
- 15 ~ 23회차에는 PC 또는 노트북이 필요합니다.
- [인디자인] 편집 프로그램은 개별 구입(구독)하셔야 합니다.
  - 사용기간: 8. 28. (일) ~ 10. 23. (일)

프로그램	일자/요일/시간	내용	강사
독립출판물이 뭔가요	5/15 일 15시~17시	1 독립출판물 정의, 다양한 판형의 독립출판물	스토리지 북앤필름 대표
어떤 책을 만들고 싶어세요	5/22 일 10시~12시	2 콘텐츠, 주제 정하기	파라그래프, 디아이아이블루, 나이롱 앤 미세책방, 이루북스 서점원
	5/29 일 15시~17시	3 글을 쓰는 자세와 태도	정보영 작가
	6/5 일 15시~17시	4 좋은 글이란?	
	6/12 일 15시~17시	5 주관적인 글쓰기	
	6/19 일 15시~17시	6 다양한 글쓰기 연습	
	6/26 일 15시~17시	7 묘사와 설명의 기술	
글쓰기 연습을 해봅시다	7/3 일 15시~17시	8 나만의 표현 찾기	
	7/10 일 15시~17시	9 꾸준히 쓰는 습관 기르기	
	7/17 일 15시~17시	10 바른 문장이란?	
	7/24 일 9시~13시	11 탐방 1차> 동네책방: 서점원의 이야기	이루북스, 라바북스
	7/31 일 15시~17시	12 퇴고와 피드백 1	정보영 작가
	8/7 일 15시~17시	13 퇴고와 피드백 2	
책이름 작명소	8/14 일 10시~12시	14 제목 정하기	파라그래프, 디아이아이블루, 나이롱 앤 미세책방, 이루북스 서점원
	8/21 일 15시~17시	15 책의 구성, 디자인 기획	
	8/28 일 15시~17시	16 인디자인 - 작업 환경	
	9/4 일 15시~17시	17 인디자인 - 샘플 페이지	
	9/18 일 15시~17시	18 인디자인 - 내지 디자인 1	
이제 책을 만들어봅시다	9/25 일 15시~17시	19 인디자인 - 내지 디자인 2	오도영 웹디자이너
	10/2 일 15시~17시	20 인디자인 - 내지 디자인 3	
	10/9 일 15시~17시	21 인디자인 - 표지 디자인	
	10/16 일 15시~17시	22 인디자인 - 작업 마무리	
	10/23 일 15시~17시	23 인쇄와 제작	
	10/30 일 9시~13시	24 탐방 3차> 동네책방: 유통 관련 이야기	디아이아이블루, 무명서점
완성	11/6 일 15시~17시	25 출간기념회	강사님 전원

분야	글쓰기 / 출판	수업명	독립출판물 제작	기관명	탐라도서관
강사	장보영, 오도영	기 간	주 1회 / 25주	비 용	무료

제주는 독립서점이 많기로 유명해서 서점투어를 테마로 하는 여행객도 제법 보이는 곳이다. 그런 만큼 독립출판물도 활발히 만들어지는 편인데, 마침 내가 이주했던 즈음에는 독립출판에 관련된 수업과 북토크가 유행처럼 시작할 때라 한 곳에서 인디자인(책 편집프로그램)을 짧게 배우고, 또 다른 곳에서 간단히 가제본까지 해본 적이 있다. 그 때는 몇 주간 속성으로 하느라 당시 온라인에 써 두었던 단상을 모아 경험삼아 도전해본 정도였다. 요즘에도 꽤 보이는 단기 독립출판수업은 아무래도 시간제약이 있다보니 이미 컨텐츠가 준비된 이에게 출판사없이 책 내는 법을 알려주며 도전을 독려하는 역할에 머무는 게 대부분이다.

이런 상황에서 탐라도서관 수업은 독보적이다. 독립출판물 제작 관련한 다른 어느 곳보다 기간이 길고 커리큘럼이 탄탄하다. 3회차인 2022년에는 수업신청마감이 20초컷이라는 말이 있었을 정도로 대단한 경쟁률을 보였다. 그도 그럴 것이 주제잡기부터 글 쓰는 법, 인디자인 기초부터 인쇄팁까지 꼼꼼히 알려주는 데다 정해진 마감일을 부여해 어떻게든 책을 만들어 내게 하기 때문이다. 글쓰기와 책 편집 및 디자인으로 분야를 나누어 진행하며, 3기부터는 작년대비 5주 늘어난 기간에 가제본 인쇄비 지원 혜택까지 있었으니 감사할 일이다. 앞으로도 '독자에서 작가'를 만드는 이 충실한 프로그램이 매년 계속해서 이어져 더 많은 신선한 제주발 생각들이 세상에 더해지는 선순환이 생기기를 바란다.

© 정둘, <흔들리지만, 또 흔들리지 않아요>, 2021년 전시

부   록

* <재미난 제주어 이야기> 1~5권, 꼬마하르방 제돌이, 2016년 참조

96

제주어
제주삼춘들의 말

제주어가 얼마나 독특한지, 그래서 보존가치가 얼마나 있는지는 여기서 따로 언급하지는 않겠다. 다양성이 확보되지 않는 사회가 얼마나 취약한지는 이견이 없으리라 본다. 소멸예정 위기에 있다는 언어 그 자체에 대한 우려도 있지만, 지역공부를 하다보니 제주생활사를 알기위해서는 제주어가 필수라는 게 빈번히 와 닿는다. 독특한 지명들이 궁금해 제주어연구소에서 진행한 '제주어학교'와 제주어보전회 '제주어 기본교육과정' 등 손 닿는 대로 들어보긴 했는데, 안타깝게도 나같은 이주민이 대상은 아니었다. 학교 선생님들이 주 대상인 곳도 있었는데, 입말로만 사용했던 제주어를 이제는 학교과정에 포함하였으므로 맞춤법 등 일률적인 표기법을 적용하기 위해 원어민들도 배울 필요가 생겼기 때문이라고. 몇 년 전만 해도 공공기관에서 민원응대시 제주어를 쓰지 않도록 권고했다는 걸 고려하면 큰 진전이다.

갓 이주한 입장에서 노년층의 제주어 녹취를 풀어 전사하는 과정을 보고 있자니 그저 막막한 느낌이었지만, 그래도 제주어 보전을 위한 노력이 어떤 건지 조금이나마 들여다보는 시간이었다. 녹취대상은 주로 시골지역에 거주하는 팔십대 이상으로 하며, 공부를 많이 했거나 외지에 살다온 사람들은 제외한다고 한다. 언어오염이 우려되기 때문인데, 이와 관련해서 제주가 지리적으로 일본과 가깝고 재일동포도 낳은 편이라 일본어 단어가 세법 섞여 있는 것도 걸러내야 한다. 또한 같은 조건의 여성과 남성이 있을 때는 할망이 녹취 우선 대상자로 꼽히는데, 생활과 생업관련 언어를 익숙히 알고 사용해온 사람이기 때문이라는 이유다. 언어적인 면에도 여자가 일을 많이 하는 이 곳 특성이 반영되나보다.

　　이주민 대상 쉬운 제주어 강좌도 있으면 좋겠지만, 막상 설문대 여성문화센터에서 온라인으로 기획했던 강좌가 신청자수 미달로 폐강되기도 하는 걸 보면 관심이 크지는 않은 듯하다. 어차피 표준어도 통하니 제주어까지는 몰라도 딱히 살아가는 데는 큰 불편이 없긴 하지만, 이 곳에 오래 살 생각이라면 언제까지 이방인처럼 남들 대화에 눈 동그랗게 뜨고 있을 수는 없지 않나. 특히 요즘은 〈우리들의 블루스〉나 〈파친코〉 등 드라마에서도 제주어가 그대로 등장할 정도이니 제주에서 사는 사람이라면 자막없이 듣는 정도는 되어야 하지 않을까 싶다. 나 역시 아직도 회화는 꿈도 못 꾸고 어느정도 청취만 가능한 수준이지만, 어르신들과 이야기할 때 흐름을 뚝뚝 끊지 않을 만큼만 되어도 한결 편안한 느낌이 들었다.

* tvN 토일드라마 〈우리들의 블루스〉, 2022년, tvN유튜브채널 영상 갈무리

토박이는 아니더라도 외지인 티는 덜 나도록 자주 쓰이는 기본 단어와 문장 몇 가지는 알아두기를 권한다.

제주어를 찾아볼 기관으로는 제주도청 홈페이지나 제주학연구센터, 제주어연구소 등이 있고, 책으로는 김순자 〈제주 사람들의 삶과 언어〉, 강영봉 〈말하는 제주어〉 등이 있다. 참고로, 제주도 내에서도 제주시와 서귀포시 등 지역별로 다른 단어와 말어미를 사용하고 있다는 점을 감안하기 바란다. 과거 조선시대 1목 2현 체제였던 행정구역차이에 따른 영향을 많이 받았다고 알려져 있다. 발음하는 방식도 지역에 따라 그 부드러움과 억양에 차이가 있다. 또한, 제주어는 어미가 짧게 생략되어 다 같은 반말처럼 들릴 수는 있으나 존칭어와 평어는 분명히 구분되므로 어미처리에 유의하여 예의에 벗어나지 않도록 주의할 필요가 있다.

서명	간행연대	편저자	내용(주제 항목)
고려사 지리지	1451(문종 1)	정인지 등	건치연혁, 해로 (2항목)
세종실록 지리지	1454(단종 2)		건치연혁, 한라산, 호수, 토산, 성곽, 봉수, 화산활동, 해로 (8항목)
신증동국여 지승람	1530(중종 25)	이행 등	건치연혁, 성씨, 풍속, 형승, 산천, 토산, 성곽, 관방, 봉수, 궁실, 누정, 학교, 교량, 불우, 사묘, 고적, 명환, 인물, 제영 (19항목)
탐라지	1653(효종 4)	이원진	건치연혁, 진관, 관원, 읍명, 성씨, 풍속, 형승, 산천, 교량, 토산, 전결, 성곽, 방호소, 수전소, 봉수, 궁실, 누정, 창고, 학교, 향약, 사묘, 불우, 장관, 군병, 공장, 노비, 과원, 목양, 의약, 공헌, 고적, 명환, 인물, 효자, 열녀, 제영 (36항목)
남환박물	1704(숙종 30)	이형상	읍호, 노정, 해, 도, 기후, 지리, 경승, 사적, 성씨, 인물, 풍속, 문예, 무예, 전답, 토산, 금, 수, 초목, 과원, 마우, 물고기, 약재, 공물, 부역, 사당, 관방, 봉수, 창고, 공해, 병제, 공방, 노비, 관리, 행적, 고적, 명환 (36항목)
증보탐라지	1765(영조 41)	윤시동	건치연혁, 진관, 관원, 읍명, 성씨, 지형, 형승, 산천, 도리, 교량, 풍속, 토산, 면촌, 호구, 전결, 성곽, 방호소, 수전소, 봉수연대, 관우, 누정, 창고, 학교, 향약, 사묘, 불우, 장관, 군병, 공장, 노비, 과원, 목양, 의약, 공헌, 고적, 명환, 인물, 효자, 충신, 열녀, 제영 (41항목)
제주읍지	1781(정조 5)	정조	건치연혁, 군명, 관직, 방리, 도로, 성지, 산천, 성씨, 풍속, 학교, 서원, 단묘, 공해, 진보, 봉수, 교량, 목장, 누정, 형승, 도서, 물산, 진공, 상납, 호구, 전총, 전세, 대동, 봉름, 요역, 창고, 조적, 군기, 군액, 노비, 선생안, 인물, 과환, 고적, 책판 (39항목)
제주대정정의읍지	1793(정조 17)	정조	
탐라지초본	1843(헌종 9)	이원조	건치연혁, 읍호고총, 산천, 도서, 물산, 토속, 관직, 씨족, 방리, 호구, 도로, 교량, 성지, 단묘, 학교, 공해, 누관, 진보, 봉수, 목양, 과원, 공헌, 전결, 대동, 봉름, 요역, 조적, 창고, 군액, 노비, 공장, 인물, 과환, 형승, 제영, 고적 (36항목)
제주군읍지	1899(광무 3)	고종	건치연혁, 진관, 관원, 읍명, 성씨, 풍속, 형승, 산천, 방호소, 수전소, 교량, 토산, 전결, 성곽, 궁실, 누정,
대정군읍지	1899(광무 3)	고종	창고, 학교, 향약, 사묘, 장관, 과원, 목양, 의약, 공헌, 고적, 명환, 인물, 효자, 열녀, 불우 시읍지(경영리
정의군읍지	1899(광무 3)	고종	수, 본주표효, 도리, 결총, 호총, 공헌, 천불, 사환, 마정, 장화세총, 공해, 단묘, 진보) (44항목)
탐라기년	1918	김석익	서, 의례, 탐라前후연혁도, 외서(탐라국), 권1(고려), 권2~4(조선), 부록(1906~1955)
증보탐라지	1954	담수계	지리(산천, 천지, 사수, 도로, 도서), 명소고적(명승, 고적, 관아, 누정, 창고, 성곽, 봉수, 사묘, 학교, 사찰, 과원, 감귤, 목장), 연혁(통사, 기문전설, 제영, 구례), 기상, 풍속, 구회, 관공서, 교통, 통신, 교육, 종교, 산업, 언론기관, 사회단체, 산업기관, 금융기관, 인물(과환, 진사, 문학, 재유, 필원, 효자, 의사, 효부, 열녀, 절부, 의녀, 충비, 의술, 천문, 지리, 부호, 골계, 승려, 기타), 관용안 (55항목)

* 제주기록한 조선시대 고문헌 목록

('제1기 제주학 시민 아카비스트 양성과정 강의교재',

2021, 제주학연구센터, pp.21-49, 홍기표)

연번	서명	저자	시기	소장처
1	노촌선생실기	이약동	1473년(성종 4)	제주교육박물관
2	(금남)표해록	최부	1488년(성종 19)	국립중앙도서관
3	제주풍토록	김정(金淨)	1521년(중종 16)	대전시립박물관
4	영해창수록	조사수, 박충원	1540년(중종 35)	서울대규장각
5	남명소승	임제	1578년(선조 11)	성균관대도서관
6	남사록	김상헌	1602년(선조 35)	서울대규장각
7	제주풍토기	이건	1635년(인조 13)	서울대규장각
8	남사일록	이증	1680년(숙종 6)	개인 소장
9	지영록	이익태	1696년(숙종 22)	국립제주박물관
10	병와집	이형상	1703년(숙종 29)	서울대규장각
11	해외문견록	송정규	1705년(숙종 31)	일본 천리대도서관
12	우암선생집	남구명	1715년(숙종 41)	한국학중앙연구원(장서각)
13	탐라문견록	정운경	1735년(영조 11)	서강대·단국대 도서관
14	노봉선생문집	김정(金㙜)	1737년(영조 13)	고려대도서관
15	탐라록	김춘택	1760년(영조 36)	서울대규장각·국립중앙도서관
16	탐라록	신광수	1764년(영조 40)	고려대·성균관대도서관
17	표해록	장한철	1771년(영조 47)	국립제주박물관
18	정헌영해처감록	조정철	1824년(순조 24)	서울대규장각·국립중앙도서관
19	탐라록	이원조	1843년(헌종 9)	한국학진흥원
20	탐라직방설	이강회	19C 중엽 (추정)	일본 교토대 가와이[河合]문고
21	속음청사	김윤식	1901년(고종 38)	국사편찬위원회

문서명	시기	소장처	비고
탐라순력도	1703년 (숙종29)	제주국립박물관	보물 제652-6호 (1979.02.08.)
목장신정절목	1794년 (정조18)	제주민속자연사박물관	제주도문화재자료 제11호 (2013.10.17.)
안민고절목	1758년 (영조34)	〃	제주도문화재자료 제12호 (2013.10.17.)
도영절차 · 피인연향연회각좌기절차	미상	제주목관아	·

참고 문헌과 매체
제주 더 깊게 알아보기

문자로 된 기록서가 적은 제주이지만, 제주와 관련된 고문헌은 중앙정부 지리지의 일부부터 분야별 백과사전처럼 묶은 형식의 책도 존재한다. 모두 한자로 기록된 책들이라 진입장벽이 높긴 해도 제주학 연구센터나 제주문화원 등을 통해 이미 번역된 자료가 많으므로 관심만 있다면 접근하기 어렵지 않은 편이다.

제주 관련 고문헌을 무엇부터 읽어야 하는지 모를 때 추천받은 것은 두 권이다. 먼저 김석익의 〈탐라기년〉으로 제주의 전체적인 역사를 먼저 훑어보고, 담수계의 〈증보탐라지〉로 풍속, 토산, 방어시설, 명승, 고적, 인물, 관리 등 제주의 각 분야별 자세한 실정을 살펴보는 방식이다. 이 책들은 제주사람들의 손으로 쓰여진 책이라는 점에서 더욱 가치가 있다. 왼쪽 목록표에서 볼 수 있듯이 역사지지서와 개인문집도 적지 않다. 특히 임제의 〈남명소승〉과 김상헌의 〈남사록〉 같은 개인문집에서는 해안선을 따라 제주를 일주하고 한라산을 등반했던 외지인들의 시선을 통해 당대 제주 상황을 느껴볼 수 있으며, 최부와 장한철의 〈표해록〉 및 송정규의 〈해외문견록〉, 정운경의 〈탐라문견록〉에서는 제주인과 외래인의 표류 등 해양을 통한 상호 교류 과정도 알 수 있다.

문화재로 지정된 고문서도 네 종류가 되는데, 그 중 〈탐라순력도〉는 1702년(숙종 28) 제주목사 이형상이 한 해 동안 제주 각 고을을 순시하며 거행했던 여러 행사 장면을 기록한 채색 화첩이다

화공 김남길이 총 41폭의 그림을 그렸으며, 각각의 폭 하단에 간략한 설명이 기록되어있다. '순력도' 라는 이름의 기록화로는 한반도 전체에서 유일하며, 18세기 초 제주도의 관아 건물, 군사 시설, 지형, 풍물 등이 자세하게 기록되어 있어 제주도 역사 연구에 매우 귀중한 자료로 평가받고 있다. 우리나라 기록화 가운데 이만큼 생생하고 자세하며 정밀한 기록화는 드물다. 작자, 화공, 제작동기, 연대가 확실하고 그림으로 설명이 부족한 부분은 글로써 표현하였다. 탐라순력도는 국립제주박물관 소장품이라 언제든 박물관을 방문하면 원본을 볼 수 있으며, 2021년에 디지털화하여 특별영상전시까지 열렸다. 제주목 관아에도 별도전시실이 있으며 온라인에서 각 항목별 상세한 설명을 찾을 수 있다.

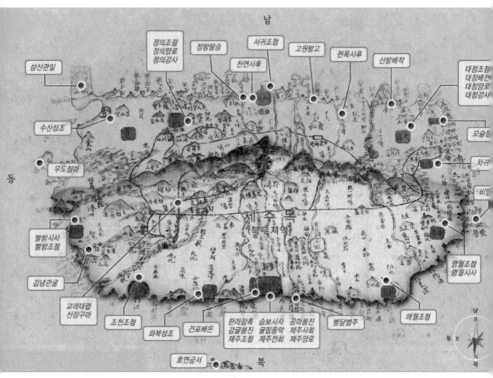

* <탐라순력도> 중 한라장촉에 설명 (제주목관아 자료)

고전문헌 공부가 혼자 하기는 어려운 분야이긴 하므로, 가이드를 바란다면 역사학자인 홍기표 박사님의 강의를 좇아가길 권한다. 학자의 순수한 열의가 느껴지는 강의는 언제 들어도 반갑다. 나 또한 홍선생님의 제주역사문화 공부방법론 강의를 듣고 고문헌에 관심을 가지게 되었고, 제주 고전강독을 들었다. 아래에 선생님이 알려주신 제주역사 분야 자료를 온라인으로 쉽게 찾게 도와주주는 기관과 방법을 공유한다.

기 관	게시판	비 고
제주학 연구센터	제주학 아카이브	분야별, 매체별 자료 체계적 분류
	연구성과	<탐라사의 재해석>, <제주학 개론> 등
제주대 탐라문화연구원 / 제주학회	탐라문화학술지 / 학회지	키워드로 관심주제 검색
제주 외 지역 (역사 일반)	국사편찬위원회(한국사 데이터베이스), 한국 고전번역원(한국고전종합DB), 한국학 중앙연구원(한국 역대인물 종합정보시스템 / 한국 민족문화대백과사전 / 한국 향토문화 전자대전)	

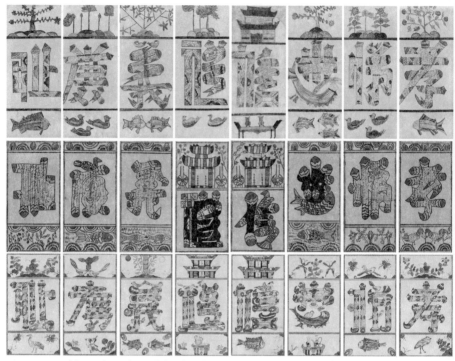

* <제주문자도> 제주공예박물관 소장

　　자연과 역사가 있는 곳이라 그런지 예술분야도 도전해볼 만
한 게 많다. 특히 제주에 와서 새삼스럽게 빠진 전통문화 중에서 제
주문자도가 있다. 민화 중에서도 문자도는 양식이 이미 정해져있
는 도식화된 그림인데, 제주에서는 이를 완전히 다른 방식으로 해
석하였다. 독특한 삼단구성부터 현지 동식물의 묘사, 그리고 파도
처럼 면을 메운 비백처리는 지금 봐도 현대적이다. 일미터 크기의
작은 병풍으로 만들어 결혼식 배경으로 사용하기도 했다는데, 맨
뒤에 선 두 명이 문자도를 바짝 높이 들고 찍은 근대시절 옛 가족사
진이 정겹다.

이 외에도 제주의 더 많은 문화와 다양한 이야기를 공부할 수 있는 서적과 영상매체 일부를 소개하며 본문을 마친다.

통합	유홍준 〈나의 문화유산답사기 제주편〉, 주강현 〈제주기행〉, 강정효 〈제주, 아름다움 너머〉
역사	이영권 〈다시 쓰는 제주사〉 〈제주역사기행〉, 김은하 〈탐라순력도 따라 제주역사여행〉, 국립제주박물관 전시도록 〈그림에 담은 옛 제주의 기억 탐라순력도〉
지역 문화	허남춘 등 〈할망 하르방이 들려주는 제주음식이야기〉, 양용진 〈제주식탁〉, 양영자 〈제주학으로서 제주민요〉, 고광민 〈제주 생활사〉 〈제주도 도구의 생활사〉, 김선자 〈제주신화, 신화의 섬을 넘어서다〉, 한진오 〈모든 것의 처음, 신화〉, 김태일 〈제주 근대건축 산책〉
자연과 생태	한국지질자원연구원 〈제주도 지질여행〉, 윤용택 등 〈제주학의 선구자 석주명〉, 김효철 등 〈제주, 곶자왈〉, 박선정 〈오름오름〉, 제주학회 〈제주 지리 환경과 주민 생활〉, 송언근 〈지리교수와 함께 가는 제주여행〉, 이재능 〈제주도 꽃나들이〉 〈꽃들이 나에게 들려준 이야기 5. 남녘 나무에 피는 꽃〉, 이성권 〈이야기로 만나는 제주의 나무〉
예술	강요배 〈풍경의 깊이〉, 최열 〈옛 그림으로 본 제주〉, 김영갑 〈김영갑 1957~2005〉 〈그 섬에 내가 있었네〉, 예나르 제주공예박물관 〈제주실경도와 제주문자도〉
문학	판소리 〈배비장전〉, 김석범 〈화산도〉, 〈언어의 굴레〉, 김시종 〈니이가타〉, 현기영 〈순이삼촌〉 〈지상에 숟가락 하나〉, 한강 〈작별하지 않는다〉, 허영선 〈해녀들〉, 〈당신은 설워할 봄이라도 있었겠지만〉
평론, 수필	김동윤 〈문학으로 만나는 제주〉, 이아영 〈애기해녀, 제주일기〉, 리모 〈네가 다시 제주였으면 좋겠어〉, 김경희 〈내가 좋아하는 것들, 집밥〉
영상 매체	영화 〈지슬〉 / 〈물숨〉 / 〈수프와 이데올로기〉, KCTV 〈제주의 가치 재발견〉, 제주 MBC 〈물과 숲 그리고 흙의 이야기〉 〈랜선탐라기행〉 〈제주의 기억을 걷다, 탐라순력도〉, IIBS 〈제주 지하수의 경고〉, KBS 〈붉은 지구〉, KBS제주 〈콘테나〉 등

© 정둘, <나는 고요합니다>, 2021년 전시

맺는 말

제주에 살기로 결심한 날에 대해 쓰고 싶다. 세계를 뒤흔든 코로나 사태 덕에 단순여행이었던 제주일정이 예상치 못하게 길어지던 어느 날이었다. 날씨가 좋아서 미뤄두었던 우도를 오랜만에 들어가려고 한시간 반에 한 대씩 다니는 711-2번 버스를 느긋하게 기다렸다 타고 종달리 우도 선착장에 내렸다. 매표소 직원분이 종달리로 돌아오는 배편은 오후 두 시면 끊기니 지금 들어가면 왕복이 어려운데 괜찮냐고 물어보신다. 걱정스러운 말투에 슬며시 웃음이 났다. 차를 두고 가는 게 아니니 여기로 다시 돌아올 필요가 없어 괜찮다고 말씀드리고 나오는 편은 성산으로 끊었다. 배 탑승까지는 여유가 있어서 근처를 슬슬 돌아보는데 카페 하나가 눈에 들어왔다. 잠깐 시간 보낼 장소를 찾았을 뿐이었는데, 다정한 주인분과 인사하며 나오는 길에는 겡이죽까지 손에 들려오게 되었다. 카페 앞 바다에서 직접 잡은 작은 게들로 만든 죽인데 맛보여주려고 준비하시다가 배시간이 다 되었다고 인사드리니 급하게 포장까지 해서 주신 거다. 감동이다.

도시락까지 알차게 들고서 도착한 우도는 바쁜 게 없으니 전기차나 스쿠터말고 그냥 순환버스를 이용해보기로 했다. 딱 한 정거장 탔을 뿐인데 어쩐지 내리고 싶은 마음에 곧바로 하차해서 슬슬 걷기 시작했는데, 서점 간판이 눈에 들어왔다. 우도에 독립서점 하나가 있다고 알고는 있었는데, 마침 여기가 거기네!? 햇볕 좋은 큰 창이 있는 서점에서 혼자 싱글거리며 책을 고르는 재미라니! 제주 지역잡지 최신호에 이 서점도 한 꼭지 소개되어 있길래 인연이다 싶어 집어들고 계산하는데, 서점주인 두분이 내가 제주에 대해 진심으로 관심있다는 걸 몇 마디 대화로 알아차리시고는 과월호도 괜찮다면 가져가겠냐며 선물로 주셨다. 아니, 지난 호가 더 희귀템인데요… 이 귀한 걸 돈도 안받고 비닐포장 그대로 안겨주시는 인심이라니! 뭔가 댓가없이 받는 게 오늘 벌써 두 번째다.

예상하지 못한 선물들로 가방이 점점 무거워지는 가운데, 다시 순환버스를 타고 내리기를 반복했다. 마지막으로 우도봉을 걷고 나온 참인데, 이제 저녁이 다 되어가는 시각이라 버스 안은 제법 붐볐다. 막배는 아니어서 여유있게 나가는데, 유쾌하게 관광지 설명도 해주시던 버스 운전기사님이 무전을 받으시더니 갑자기 급박한 말투로 바뀌어 한쪽 항구의 기상이 나빠져 접안할 수 없기 때문에 모두 저녁 다섯시 배를 타야한다고 마이크로 알려주신다. 어느새 다섯시까지는 오분도 안 남은 시각. 그 때부터 버스 안 분위기는 완전히 달라졌다. 기사님은 특수임무를 수행하는 요원이라도 된 것처럼 "모두들 걱정마시라, 내가 어떻게는 배를 날 수 있게 해주겠다" 하시며 좁은 길을 쌩쌩 달리기 시작했다. 질주하는 버스 안은 다 같이 한마음으로 기사님을 응원하게 되었고, 덩달아 내 아드레날린도 폭주 중. 좁은 돌담 사이 몇 차례의 거센 원심력을 이겨낸 끝에 장담하신대로 배가 떠나기 전에 버스는 항구에 닿았다. 너나 할거 없이 허겁지겁 감사인사를 남기며 배가 떠날세라 질주하는 승객들의 뒷모습이 재밌었다.

생각해보면 버스기사님은 매일 반복되는 일이었을테고 설사 원래 시간표대로 버스를 운행해서 배를 놓친다고 해도 본인의 탓은 아닐텐데 마치 영화의 한 장면처럼 노력해서 이런 아슬아슬한 성공을 이루어냈다. 성심을 다해 승객을 대하는 기사님이 대단하게 느껴졌고, 새삼 이런 분들로 가득한 제주도가 다시 보였다. 그 동안에도 오일장 삼춘들이며 동네사람들과 가볍고도 기분좋은 만남이 많은 제주였는데, 이 날 유독 연속된 친절 덕에 '여기서 살아봐야겠다'는 결심이 섰다. 이후 집도 단번에 인연이 되어 세화 바다와 오름 그리고 한라산을 다 조망할 수 있는 곳에 살게 되었다. 요약하자면, 나는 제주사람들이 친절해서 입도하게 되었다.

이렇게 시작한 제주생활이 판데믹과 함께 벌써 삼년이 지났다. 그간 접한 강습과 공부를 통해 이 땅과 이 곳 사람에 대한 흥미와 애정이 기반이 되어 책 한 권을 엮어 보았다. 어느덧 문화탐방 지도사같은 자격증도 생겼고, 생태보호와 전통문화 등 관심과 취미를 공유하는 지인들도 만나게 되었다. 무엇보다 해안도로를 달리고 중산간 숲길을 거쳐가면서 문득 아름다움에 취하게 되는 하루하루가 아직도 감격이다. '이럴려고 내가 제주에 왔지'라며 마음 뿌듯해지는 순간들이 나를 아직 이 곳에 살게 한다. 나처럼 제주가 좋아서 온 사람들이 진짜 제주의 여러 모습을 더 쉽게 알고, 더 사랑할 수 있도록 이 책이 작은 역할을 하기를 바란다.

중단기 거주자를 위한

제주공부노트

초판 1쇄 발행 2023년 3월 20일
초판 2쇄 발행 2023년 5월 3일

글, 사진 정둘
표지디자인 심따라
펴낸곳 소랑출판사
출판등록 2021년 2월 3일
주소 제주시 구좌읍 세화4길 19
이메일 sorang_books@naver.com